D1389078

Siciliaans testament

Rosita Steenbeek

Siciliaans testament

ROMAN

UITGEVERIJ DE ARBEIDERSPERS
AMSTERDAM · ANTWERPEN

Dit boek is mede tot stand gekomen dankzij een werkbeurs van de Stichting Fonds voor de Letteren.

Omslagontwerp: Bram van Baal
Omslagfoto: SIME/Corbis

ISBN 90 295 6405 9 / NUR 301
www.arbeiderspers.nl

Voor Giovanna en Onno

De oerstof van de wereld is niet het vuur, niet het water, niet de aarde, niet de lucht, maar de menging van deze vier. En die elementen bestaan uit oneindig kleine deeltjes die zich verenigen en uiteenvallen onder invloed van liefde en haat. Soms zijn de elementen volledig vermengd door liefde. Door haat worden ze geleidelijk weer gescheiden, om vervolgens door liefde weer verenigd te worden.

Empedocles, geboren te Agrigento 492 voor Christus

Inhoud

AUGUSTUS

FEBRUARI

AUGUSTUS

Augustus

Het verboden huis

Een man die een vrouw meesleurt. Dat is het eerste wat Suzanne ziet als ze het zachtgeel geschilderde station uit komt. Ze heeft haar vingertoppen gebrand aan de knoppen van het pinapparaat dat onbeschermd in de niet-aflatende zon staat, en zou die in het water willen houden dat de naakte lichamen besproeit die zich oprichten boven zeemeerminnen en wilde paarden. Hades rooft de tegenspartelende Persephone mee naar zijn rijk, waarvan de toegang hier ligt, op Sicilië. Op de rand van de fontein zitten zwervers met hun voeten in het water en een tros druiven in hun handen.

De taxi voert haar over wegen van lavasteen, tussen groene piramides van kolossale watermeloenen door, langs vervallen flatgebouwen en statige paleizen, dwars door het geheel verlaten centrum waar het normaliter een chaos is van auto's en vespa's. Brede rechte straten liggen als zwarte lopers uitgerold naar de zee en de Etna, die eerdere Catania's uitwiste en *tabula rasa* maakte voor de architecten zodat ze deze barokke, van levensdrift overstromende stad op konden trekken. Negenmaal werd de stad herbouwd, negenmaal op dezelfde plek, tussen vuur en water. Nergens wordt er zo in het moment geleefd als hier, en nergens zijn de mensen zo gelaten.

Toen ze hier voor het eerst kwam, twintig jaar geleden, reed ze door Catania als Alice door Wonderland, nu is deze vreemde stad haar wonderlijk vertrouwd.

Nog nooit is het voorgekomen dat hij haar niet kwam afhalen. Altijd stond hij op het vliegveld, punctueel en betrouwbaar. De laatste keer was hij haar tegemoetgekomen, in zijn witte pak dat veel te ruim zat. Zijn schedel was duidelijker dan de vorige keer te zien onder zijn huid waarop weer iets meer vlekken zaten. Hij glimlachte blij. Vroeger was ze trots als hij op haar af kwam, ook al was hij veel ouder. Fier rechtop en stoer geschouderd in elegante kleren, de ogen verrassend blauw onder wenkbrauwen die nog zwart waren.

Voor het eerst gaat ze naar zijn huis, het palazzo dat ze al die jaren alleen in haar verbeelding kende en één keer uit de verte had gezien.

Suzanne leefde met hem in Taormina, het luxeoord boven op de Monte Tauro, een uurtje rijden van Catania, en woonde in zijn droomvilla. Daar leidde Roberto zijn dolce vita, en al veertig jaar hield hij dat streng gescheiden van zijn werkende leven in Catania, de grote stad waar hij naast zijn werk als geneesheer-directeur van een psychiatrische inrichting de rol van echtgenoot en familievader vervulde in het huis waar hij geboren was. In Taormina was Suzanne zijn vrouw. Iedereen kende haar als de geliefde van *il professore*. Hij bewoog zich vrij en ontspannen met haar aan zijn zijde alsof er helemaal geen echtgenote bestond. Vanuit zijn buitenverblijf in Taormina belde Roberto elke dag met zijn vrouw om te horen of alles goed ging. Zijn vrouw belde nooit. Al sinds zijn veertigste had hij geen intieme relatie meer met haar maar ze bleef natuurlijk de moeder van zijn twee zonen. De jongste zoon was psychiatrisch patiënt en woonde thuis. Roberto liet het hun aan niets ontbreken en zijn vrouw accepteerde dat hij nog een ander leven had. Maar hoe inniger haar relatie met Roberto werd, hoe vaker Suzanne zich probeerde voor te stellen hoe dat andere bestaan van hem eruitzag, dat andere huis. Hoe hij daar at en sliep.

Ze had een keer uit de verte naar het huis staan kijken toen ze logeerde in een hotel in de buurt. Een statig palazzo met smeedijzeren balkons en hoge ramen waardoor ze donkere plafonds zag en beschilderde wanden.

Suzannes relatie met Roberto was al vijftien jaar voorbij,

maar ze waren altijd bevriend gebleven. Ze belden regelmatig en tot voor een paar jaar zocht ze hem ook nog wel eens op.

Na de dood van zijn vrouw, een jaar geleden, was hij in een depressie geraakt. Hij ging niet meer naar Taormina, had de kliniek verkocht voor veel te weinig geld en kwam in Catania nauwelijks de deur uit.

De laatste tijd klonken zijn telefoontjes steeds somberder en hij had haar bijna gesmeekt te komen logeren, 'als familielid'. Nu niet in Taormina maar in Catania.

Ze zou een eigen kamer krijgen.

'Als je me nog levend wilt zien moet je snel zijn,' had hij gezegd. Ze had met hem te doen.

Hij hoopte dat zij hem de prikkel zou geven om nog één keer naar Taormina te gaan. Daar zou ze zelf ook graag weer eens rondlopen.

Ze kon elke dag naar de zee, zei hij, ook in Catania. Sinds haar terugkeer naar Amsterdam dacht ze vaak met heimwee aan de Siciliaanse stranden. Misschien kon ze haar verblijf nuttig maken door een artikel te schrijven voor de krant over Catania, dat met geld van de Europese Unie in zijn oude barokke luister was hersteld. Bovendien was ze nieuwsgierig naar dat huis dat altijd verboden terrein was geweest.

De taxi stopt.

Op de zuilen aan weerskanten van de toegangspoort zitten twee leeuwen, één zonder kop. Onder het onthoofde roofdier hangt een bordje waarop met krullerige letters geschreven staat: '*Prof. Colafiore: Medico psichiatra*'.

Voordat ze op de bel heeft kunnen drukken hoort ze haar naam. Ze kijkt omhoog en ziet Roberto zwaaien vanaf het balkon.

De deur gaat open. Een donkere man komt een brede marmeren trap af. Ze steekt haar hand naar hem uit, wat hij duidelijk niet verwacht. Het is Madu, de butler uit Sri Lanka, wiens naam ze al twintig jaar kent en wiens gestage gezinsuitbreiding ze via zijn werkgever op de voet heeft gevolgd. Vroeger woonde hij ook in dit palazzo met zijn Sri Lankaanse echtgenote. De geboorte van hun dochtertje had vrolijkheid in huis gebracht, vooral toen het meisje rond ging scharrelen. Roberto vertelde hoe hij dolde met zijn tweejarige vriendinnetje. Maar toen er een volgend kind kwam werd het al te gezellig en had de familie een ander huis moeten zoeken. Inmiddels was Madu vader van vijf kinderen.

Hij pakt haar koffer en ze loopt achter hem aan. Deze trap werd Roberto op gedragen door zijn moeder, hier zette hij zijn eerste stapjes, vertrok hij als soldaat naar El Alamein, liep hij omhoog naar zijn vrouw en naar beneden, op weg naar Suzanne.

Daar staat hij, in de deuropening. Weer magerder en brozer.

'*Piccola*, *benvenuta*.'

Ze kust hem. Als ze haar hand op zijn schouder legt voelt ze zijn botten. Zijn wenkbrauwen en wimpers zijn wit geworden.

'Kom binnen,' zegt hij en gaat haar voor. Hij loopt wat gebogen.

'Het spijt me dat ik je de luxe van Taormina niet kan bieden.'

'Een mooi huis.'

'Het was mooi, ooit. Toen er geleefd werd.'

Het is schemerig in de grote hal. In de Taorminese villa stortte het licht zich van alle kanten naar binnen.

Via een voorportaal komen ze in een statige salon, waarvan de wanden met zijde zijn bekleed. Er staan zware antieke meubels, die worden vermenigvuldigd door hoge, goudomrande spiegels. De bekleding van de stoelen is versleten, het donkere hout bedekt met stof, en ook de parketvloer heeft zijn glans verloren. Sommige wanden vertonen verkleurde rechthoeken waar schilderijen hebben gehangen. De plek onder de grote marmeren schouw waar hout zou moeten liggen voor een knetterend vuur, wordt ingenomen door een televisietoestel.

Achter open schuifdeuren staat een gedekte tafel.

In een flits ziet ze die in oude glorie. Een grote familie aan een overladen dis, de bloeiende moeder het middelpunt. Gasten gebaren en lachen en even later dansen ze. Roberto's moeder zorgde ervoor dat het altijd feest was in huis.

Zou die mooie vrouw op dat portret zijn moeder zijn?

'Enrico!'

Er klinkt gebrom.

Door een halfopenstaande deur kijkt ze in een donkere kamer en ziet Enrico op een bed zitten. Hij is bezig zijn schoenen aan te trekken.

'*Mah*, hij leidt zijn eigen leven,' mompelt Roberto.

Ze kijkt weer naar het portret van de vrouw. Het opgestoken haar is glanzend zwart, de grote blauwe ogen onder de zwarte wimpers kijken gloedvol, ze winnen het van de blauwe edelstenen om haar blanke hals. De lippen zijn net zo vol en scherp getekend als die van Roberto.

'*Che bella donna*.'

'Mijn moeder. Ze is voor mijn ogen gestorven, dat weet je. Daar, in de keuken.' Hij wijst naar een deur. Hij had het haar vaak verteld, een hersenbloeding.

Dertien was hij en zijn moeder was zijn alles, zijn idool en zijn beschermster.

Suzanne had hem veel vergeven omdat ze steeds dat kleine jongetje voor zich zag dat elke dag naar het kerkhof ging om in gebed te vragen of zijn moeder terugkwam. Ze hadden hem er weg moeten slepen.

'Dit is jouw kamer.'

Hij duwt tegen een deur waarachter een zaalachtige ruimte ligt met in het midden een groot ledikant.

'Denk je dat je hier kunt slapen?'

Als je me niet lastig komt vallen, denkt ze bij zichzelf. Hij heeft uitdrukkelijk gezegd dat ze nu familie zijn.

Haar koffer staat naast het bed.

Het is stil in de kamer. Achter gordijnen gaat een balkon schuil dat uitzicht biedt op tuinen met palmen. In een grote beschilderde kast kan ze haar kleren kwijt. Roberto trekt de deur open. Via de spiegel aan de binnenkant ziet ze de ogen van de butler, die meteen verdwijnt.

Naast haar kamer is een immense badkamer met een bad en wastafel van groen geaderd marmer. Ook de koperen kranen zijn groen uitgeslagen. Er hangt alleen een klein versleten handdoekje.

'Ik heb geen handdoeken bij me.'

'Madu!!' roept Roberto geïrriteerd.

De man verschijnt meteen, knikt onderdanig en komt even later nog een miezerig doekje overhandigen.

Alfio had haar bij haar eerste bezoek aan de villa in Taormina toen ze zich ging opfrissen na de reis, een stapel grote luxe handdoeken gegeven. Een lange blonde man met blauwe ogen, die Vikingvoorvaders verraadden. Een gespierd lichaam, soms slechts gehuld in korte broek als hij in de tuin werkte, soms in een elegant pak met witte schort als hij gasten bediende. Dan werden ook zijn bewegingen sierlijker. Alles kon hij: van de tuin had hij een lusthof gemaakt en hij zette zalige en fraai ogende maaltijden op tafel. 'Hij is vast een goede minnaar,' had een Nederlandse vriendin van haar gezegd, die daar kwam om te genezen van liefdesverdriet, 'alles wat hij aanraakt komt tot bloei.' Toch was ze niet op zijn avances ingegaan. Tegenover Suzanne gedroeg hij zich keurig en allergalantst, al stond hij wel eens te gluren van achter een struik als ze bij het zwembad lag of wanneer ze een siësta hield met Roberto. Hij was intelligent en als hij in een minder eenvoudig milieu geboren was had hij waarschijnlijk gestudeerd.

'Je zult honger hebben,' zegt Roberto. 'We gaan een hapje eten. Thuis, als je dat niet erg vindt. Ik kom de deur niet meer uit.'

Ze vindt het uitstekend. Ze is hier voor hem, in de hoop hem wat op te beuren.

'Je zou toch af en toe buitenshuis moeten eten, dat verzet de geest.'

'Ik ben te zwak. Mijn tijd is voorbij. 's Avonds eten we weinig of niks. Ons warme maal is tussen de middag.' Dat heeft hij haar al tien keer door de telefoon verteld.

'Mijn studio kun je gebruiken, als je wilt lezen of studeren.' Vroeger was hem niet aan zijn verstand te brengen dat ze ook wel eens een avond wilde lezen in plaats van altijd maar te dansen en nieuwe mensen te ontmoeten.

Hij gaat haar voor naar zijn werkkamer. Het leren behang is in goede staat en ook de kleurige rozetten die op het hoge plafond zijn geschilderd bloeien nog in oude glorie.

'Het bureau staat tot je beschikking, ik zit er nooit meer.' Van achter dit grote zware bureau belde hij haar of ontving hij haar telefoontjes. Soms moest hij afbreken omdat hij dacht dat zijn vrouw hem afluisterde of omdat hij een patiënt moest ontvangen. Zo kort geleden nog.

Er hangt een grote foto aan de muur met tientallen jongemannen, gemaakt bij het afstuderen aan de medische faculteit. Ze herkent hem meteen, de knapste van allemaal.

'Daar is mijn slaapkamer.' Hij wijst op de deur naast de boekenkast achter het bureau en doet die open. In plaats van een royaal echtelijk ledikant staat daar een ziekenhuisbed met een zuurstoffles eronder. De tafel is beladen met medicijnen, pillendoosjes, flesjes, zalfjes, verband.

Ze kijkt, zegt niets.

'Tja, het is hier een ziekenhuis geworden. Dat was het al. Ik was de verzorger van mijn vrouw en van mijn zoon. Er is niemand die voor mij zorgt.'

Ze lopen de salon weer in. Roberto maakt een uitnodigend gebaar in de richting van de open schuifdeuren. Naast de gedekte tafel is een deur die op een kier staat. Op dat moment komt Madu binnen.

Hij gaat naar huis.

'Alles staat klaar,' zegt hij en verdwijnt.

'Vroeger bleef hij altijd tot na het eten. Hij misbruikt me. Hij komt telkens later, gaat eerder weg en ik moet meer betalen.'

'Dat hoef je toch niet te accepteren?'

'Ach, ik ben te goed voor deze wereld. Ben altijd door iedereen misbruikt.'

'Niet door mij.'

'Nee, *piccola*, jij bent de enige nog. Ik heb met de wereld gebroken. Ik ben ontgoocheld. Nou, waar blijft Enrico? Dat kruis heb ik ook nog te dragen. Een oude, eenzame man die voor zijn zieke zoon moet zorgen. Die Italiaanse wetten! Ik ben bezig een pamflet te schrijven, maar ach, wie luistert naar me. En geen enkele hulp van mijn andere zoon. Die is me ook alleen maar tot last. Hij is ook niet normaal.'

Ze kijkt naar de schilderingen op de muur rond de deur van Enrico's kamer. Vaag geworden nimfen vermaken zich in een arcadische omgeving. Eén steekt haar blote voet in een beekje, andere dansen in nauwelijks verhullende sluiers.

'Enrico!'

En dan doemt er als uit een grot een logge reus op tussen de dartelende nimfen.

Vermoeid sloft hij op haar af over de krakende houten vloer. Zijn ene sandaal is kapot. Hij groet haar met een doffe blik.

'Enrico, dat is lang geleden.'

Een klein verlegen lachje.

Eén keer hadden ze elkaar ontmoet, toen Roberto een feest gaf in de Taorminese villa, waar zijn familie, vrienden, vriendinnen en ook zij, incognito, aanwezig waren. Ze had Roberto's vrouw ontmoet, een vriendelijke matrone met kort geblondeerd haar. Suzanne, die aanvankelijk heel gespannen was, had grote indruk op mevrouw Colafiore gemaakt door haar zieke zoon ten dans te vragen. 'Wat een lief meisje,' had ze tegen Roberto gezegd na afloop van het feest. Later had ze begrepen dat er iets bijzonders was tussen dat meisje en haar man en daar had ze nooit een probleem van gemaakt. 'Zolang ik maar goed voor haar zorg,' had Roberto gezegd. En zolang hij die twee werelden gescheiden hield, wat hem gelukt was op die ene avond na.

'Gezellig hè, een vrouw in huis. Die komt ons een beetje opvrolijken.'

Een weemoedige glimlach.

'Enrico, zullen we wat eten?' zegt zijn vader.

Hij knikt.

'Zal ik even helpen?'

'Doe maar,' zegt Roberto, duidelijk blij met dit huiselijke initiatief.

Ze volgt Enrico naar de keuken.

Een neonlamp verlicht de ruimte waar sinds de bouw nooit iets is veranderd en die met betere verlichting en wat fleuriger aankleding erg mooi zou kunnen zijn. Op het granieten aanrecht staat een televisie.

'Wil je pasta?' vraagt hij.

'Wat eet jij?'

'Kaas en brood.'

'Dat lijkt me prima.'

Uit de kleine ijskast pakt Enrico wat stukken kaas in plastic die duidelijk gekocht zijn bij een supermarkt. Uit een papieren zak die op de ijskast ligt haalt hij een paar broodjes en stopt die in de oven. Er komt ook nog een pak gesneden witbrood te voorschijn.

Nergens zijn sporen te zien van kookactiviteit, geen olie, geen fruit, geen groente, geen strengen knoflook of pepers, terwijl ze daar op dit eiland een overvloed van hebben.

Op de grond staan tientallen lege waterflessen.

Ze kijkt naar de oude plavuizen. Op deze vloer stierf Enrico's grootmoeder. 'Mijn tong, mijn tong,' had ze gezegd en toen was ze buiten bewustzijn geraakt.

Enrico pakt een stel plastic bekertjes.

Of zij ook uit een plastic bekertje wil drinken.

'Ik zag glazen op tafel, dat lijkt me beter. Waarom drink je daaruit?'

'Ach, dat is zekerder.'

'Hoe bedoel je?'

'Je weet maar nooit.'

'Wat?'

Hij zucht. 'Of ze schoon zijn.'

'Heb je een bord om de kaas op te leggen?'

Hij trekt een van de houten kastjes open en geeft haar een eenvoudig wit bord. Ze schikt de kaas daarop. Veel eer valt er niet aan te behalen.

'Ik zet het alvast op tafel.'

Ze zet het witte bord tussen de drie lelijke van bruin glas. Onder het plastic tafelkleed zijn houten leeuwenpoten zichtbaar die lang geleden veel feestelijker schotels hebben gedragen.

Enrico brengt het brood en twee flessen water. Ze zou wel zin hebben in een glas wijn, maar dat blijken ze niet in huis te hebben.

Roberto bemoeit zich niet met de huiselijke activiteit. Hij zit voor de open haard en kijkt naar de televisie, die erg hard staat. Op de ene hoek van de schouw staat een grote keramieken vaas. De andere hoek is leeg. Ze denkt aan de ene en enige keer dat Roberto's vrouw belde. Ze zaten te lunchen op een terras aan zee in Taormina en Suzanne zag aan Roberto's gezicht dat hij schrok. Hij sprak in korte zinnen.

'Wanneer?'

'Ik kom meteen.'

Nadat het telefoongesprek beëindigd was, zei hij: 'Ik moet weg.'

'Wat is er?' vroeg ze bezorgd.

'Mijn zuster is vermoord.'

Zijn drie oudere zusters, alledrie classica, waren na de

dood van hun echtgenoten teruggekeerd naar het ouderlijk huis, dat in vele grote appartementen is onderverdeeld. Alhoewel ze de neiging hadden te bazen over Roberto, hun kleine broertje, kwam het hem ook goed uit. Het betekende gezelschap en gezelligheid voor zijn vrouw, waardoor hij zich nog vrijer kon bewegen. Zijn zuster lag midden in de kamer, vertelde hij toen hij 's avonds terugkwam naar Taormina. Ze was vastgebonden en had pleisters over haar mond. Gewoon dieven waarschijnlijk die over het dak naar binnen waren geklommen. Zijn zuster zal zich verzet hebben, geschreeuwd. De mannen hadden een vaas van de schoorsteenmantel gepakt en haar tot zwijgen gebracht. Na de moord op zijn zuster was de sfeer in huis veranderd. Toen vervolgens ook de twee andere zusters overleden waren, van ouderdom, was zijn vrouw bang om alleen in dat grote huis te zijn, in het hart van die stad vol criminaliteit, en was het minder gemakkelijk voor hem om weg te gaan. Nu, na de dood van zijn vrouw, heeft hij alle vrijheid, maar ontbreekt hem de lust en de kracht. Suzanne ziet de duifjes voor zich, op die andere schoorsteenmantel, in Taormina, meestal met de snaveltjes tegen elkaar. Alleen als ze ruzie hadden draaide Roberto ze om en zette ze elk in een andere hoek.

'Het eten is klaar.'

Hij komt meteen.

Weer excuseert Roberto zich voor de eenvoud. Vervolgens werpt hij zich zonder hen aan te kijken of smakelijk eten te wensen, op het voedsel.

Tot hij iets ontdekt.

'Wat is dat?' vraagt hij met een achterdochtige blik.

'Huzarensalade,' vertelt Enrico.

Nee, hij hoeft het niet te proeven.

Wat was ze daar vroeger gek van geworden, dat hij nooit eens iets nieuws wilde proberen. Een niet-Italiaans restaurant kwam al helemaal niet in aanmerking, maar ook aan experimenten van autochtone koks waagde hij zich niet. Hij at alleen de vertrouwde gerechten op de vertrouwde plekken. Nu moest ze, zoveel jaren later, toegeven dat die tot de allersmakelijkste behoorden die ze ooit gegeten had.

De koffie is Siciliaans, sterk en aromatisch.

'Ze staat weer te loeren.'

Roberto kijkt door het open raam naar een vrouw op het balkon van het naburige palazzo.

'Mijn nicht. Die wil me dood hebben. En mijn andere nicht ook. Ze willen me allemaal dood hebben, zelfs mijn eigen zoon en schoondochter. Elke dag doen ze een gebedje. Ach, dat zou ook het beste zijn. Maar hoe moet het dan met Enrico? Hij kan niet voor zichzelf zorgen.'

Enrico smeert zijn brood en reageert niet.

'Alles was goed geregeld, maar die nicht, dat monster, heeft mijn zuster gedwongen haar testament te veranderen. Mijn oudste zus, die het laatst is gestorven, kinderloos, had haar appartement aan de overkant van de gang aan mij nagelaten. Daar was ik heel blij mee, zo kon ik dit appartement aan mijn ene zoon geven en mijn zusters appartement aan mijn andere zoon. Daar heeft mijn nicht dus een stokje voor gestoken. "Roberto smijt het toch maar over de balk. Heeft hij altijd gedaan." Dat heeft mijn zuster me in haar onschuld verteld, maar toen had ze alles al veranderd. Ik heb nu wel het vruchtgebruik van haar appartement en van het appartement beneden. Als ik dood ben komen die allebei vrij. Voor de twee nichten, die lelijke mormels.' Hij is erg teleurgesteld in zijn zoon Elio en zijn schoondochter Ida. Ook hen had Suzanne ontmoet op die feestavond in de Villa Normanna. Ze was nieuwsgierig geweest naar Elio, die ook psychiater was, maar hij bleek geen rivaal van zijn vader. Hij deed bijna geen mond open en het grootste gedeelte van zijn gezicht ging schuil achter een dikke zwarte baard. Zijn vrouw deed aardig maar straalde geen warmte uit.

'Ik wilde dit appartement verkopen en de opbrengst verdelen. Een klein appartement voor Enrico kopen. Zelf zou ik het liefst naar een huis voor ouden van dagen gaan. Ik maak me zorgen om het lot van Enrico, ben bang dat zijn broer dit huis inpikt na mijn dood.'

Een daverende knal.

'Wat is dat? De Etna?'

'Vuurwerk voor Sant'Agata,' zegt Enrico.

'De beschermheilige van de stad,' legt Roberto uit. 'Vroeger bad ik elke dag tot haar, of ze mijn moeder terugbracht.'

'Is het vandaag Sant'Agata?'

'Nee, 5 februari. Nu wordt herdacht dat haar relikwieën werden teruggebracht uit Constantinopel.'

'Op 17 augustus 1168,' zegt Enrico met een mond vol huzarensalade.

'Vandaag hebben ze haar sluier te voorschijn gehaald. Morgen komt ze zelf.'

'Zelf?'

'De buste met haar hoofd waar haar echte schedel in zit. Die wordt bewaard in de kathedraal achter zeven deuren.'

'Dus er is feest.'

'De hele stad staat op haar kop.'

'Moeten we dat niet meemaken?'

'Bewaar me,' zucht Roberto, 'de tijd van feesten is voorbij.'

'Het is een chaos,' zegt Enrico, 'gevaarlijk.'

Samen met Enrico ruimt ze af.

'Doe of je thuis bent,' zegt Roberto, 'je bént thuis. Aan mij heb je niet veel.'

Vroeger was hij degene die altijd nog wilde dansen, of naar een bar om iets te drinken.

Ze heeft behoefte om zich terug te trekken.

Roberto gaat ook naar bed. 'Enrico heeft een heel eigen ritme. We dolen 's nachts veel rond, komen elkaar tegen, kijken wat tv. Kom me straks nog even welterusten zeggen.'

Ze trekt een kamerjas aan over haar nachtpon.

Het lampje van het zuurstofapparaat verspreidt een rood schijnsel. Nu hij ligt lijkt zijn gezicht meer op dat van de man op wie ze ooit verliefd was.

Hij trekt zijn pyjamajasje omhoog. 'Even je hand op mijn lichaam.'

Dat wil ze niet. Maar hij is oud en zwak, misschien is het wel de laatste keer dat ze elkaar zien. Dat is niet zeker. Als ze nu iets doet tegen haar zin is het moeilijker om terug te komen.

Even legt ze haar hand op zijn grijs behaarde borst.

'Ja.'

Ze kan het niet, ze wil het niet. Het is voorbij. Ze heeft medelijden met hem.

'Ik ben erg moe.'

'Ga maar slapen, *piccola*.'

Ze drukt een kus op zijn wang en gaat naar haar eigen kamer.

Zou dit ooit het echtelijk bed zijn geweest? Ze had hem gevraagd of hij met zijn vrouw in één bed sliep. Ja, zei hij toen, maar het is een heel breed bed. Ze denkt aan die eerste keer dat het vanzelfsprekend was dat ze van haar eigen kamer verhuisde naar de zijne. Vanaf dat moment hadden ze altijd bij elkaar geslapen. Dan lagen ze een tijd in elkaars armen, daarna maakten ze zich los. Omstrengeld slapen had hij nooit gekund.

Als ze 's nachts over de gang loopt op weg naar de badkamer, hoort ze geluid en ziet licht. Door een kier van de deur ziet ze Enrico voor de open haard zitten. Koele flikkeringen van televisiebeelden op zijn gezicht.

Het zwarte strand

Ze schrikt wakker. Het gezicht van Roberto om de hoek van de deur.

'*Piccola, scusa*. Goed geslapen?'

'Heel goed.'

Als ze gedoucht heeft en zich heeft aangekleed gaat ze naar Roberto, die naast zijn bed zit. Hij heeft slecht geslapen.

'Vervelend.'

'Is altijd zo.'

Het wachten is op Madu.

'Hij heeft allerlei andere adresjes. Vaak kan hij dingen niet doen omdat hij elders verplichtingen heeft.'

Ontbijt klaarmaken kunnen ze toch wel zelf?

'Ik heb gezegd dat jij kwam en dat hij daar rekening mee moest houden. Heeft hij beloofd. Volgens mij steelt hij ook.'

'Ontsla hem toch! Neem een moederlijke vrouw die het een beetje gezellig kan maken hier.'

'Ach ja, dat zou beter zijn. Kun jij niet blijven?'

'Ik zit vast aan de krant in Nederland. Heb eindelijk een serieuze baan.'

Na haar studie Italiaans was ze naar Rome gegaan, waar ze zich in leven had gehouden met vertaalwerk en het schrijven van stukjes voor bladen. Tijdens een reportage over het filmfestival in Taormina had ze Roberto ontmoet. Roberto vond het maar niks, dat freelancergedoe. Waarom nam ze geen baan in een hotel, met haar talenkennis, zei hij dan. Hij kon ook een boetiek voor haar kopen. Vaak was ze ontploft en had ze geroepen dat hij haar helemaal niet begreep. Ach, hij wilde haar veilig aan zijn zijde.

Een geluid van de sleutel in het slot.
'Daar is hij.'
Het is Enrico, met een jerrycan vol water.
'Die is ook gek.'
'Wie?'
Een blik naar Enrico. 'Dat water komt uit de fontein.'
'Wat is daar mis mee?'
Roberto zucht.
Dan komt Madu binnen. Met een klein uitdrukkingsloos knikje verdwijnt hij meteen in de keuken en even later ruikt ze de opwekkende geur van koffie.
Roberto gaat aan tafel zitten.
'Eet Enrico niet mee?'
'Doet hij nooit. 's Morgens zeker niet.'
Ze loopt naar zijn kamer en nodigt hem uit.
'Ja, ik kom zo,' zegt hij en even later schuift hij aan.
'Dat is nog nooit voorgekomen,' zegt Roberto.
'Eet je gewoonlijk dan niet samen met je vader?'
Hij schudt zijn hoofd.
'Waarom niet?'
'Ik weet niet wat Madu in het eten doet, ben voortdurend ziek, heb telkens last van mijn buik, slechte spijsvertering.'
Op tafel staat een trommel waarvan de afbeeldingen voor het grootste deel zijn weggesleten. Er zitten stukken brosse koek in. In Taormina hadden ze een tafeltje in de vorm van een bloem, waarop Alfio met zwierige gebaren een beschilderd bord zette vol cakejes en koekjes. In een kannetje van kleurig keramiek zat de koffie, waarvan de geur zich mengde met die van de bloemen.
Roberto doopt de stukken koek in de melk. Op weg naar zijn mond vallen er stukken natte koek op het tafelkleed en op zijn hemd, maar hij merkt het niet.
Als Madu binnenkomt om te kijken of alles goed is, vraagt Roberto met volle mond wat ze straks eten.
'Wat wil onze gast?'

'Pasta is prima. Misschien wat sla.'
'Wat voor sla?' vraagt Madu.
'Gewoon kropsla, tomaten.'
Hij knikt onzeker. Ze heeft kennelijk iets heel moeilijks gevraagd.
'De buren zouden zich melden,' zegt Roberto knorrig als Madu weer weg is. 'Zij zouden tot onze beschikking staan, jou naar het strand begeleiden. Ik rijd bijna nooit meer.'
'Ik heb helemaal geen zin om met onbekende buren op te trekken. We kunnen toch een taxi nemen?'
'Ik wil eigenlijk thuis blijven, zwem toch niet meer.'
'Het zal je goed doen.'
'*Bambina*, het is voorbij.'
'Dat riep je twintig jaar geleden ook al. Je kunt toch in een luie stoel naar de zee kijken? Je vroegere geliefde aan je voeten. Ga je met ons mee, Enrico?'
Enrico kijkt vermoeid en mistroostig. Zijn gezondheid is zwak, zegt hij. Daarom gaat hij zo min mogelijk de deur uit. Enrico doopt een stuk koek in zijn koffie en eet zonder te morsen. 'De tijden zijn veranderd, de maatschappij verandert.'
'*La famiglia*,' voegt Roberto ernstig toe.
Ze schrikt van geknal.
'Sant'Agata.'
Alsof er een bombardement gaande is.
'Daar kunnen we ook naar toe.'
'Een reden om de deur helemaal niet uit te gaan,' zegt Enrico.
Suzanne komt om te zwemmen, zegt Roberto, maar het probleem is dat hij hier de lido's en strandtenten niet kent. De laatste veertig jaar bewoog hij zich alleen in het strandleven van Taormina.
'Lido Azzurro is wel goed,' mompelt Enrico.
Roberto reageert niet maar belt een vriend, een arts die bij hem in de kliniek heeft gewerkt en vlak bij de *scogliera*

woont, de zwarterotsenkust. Die heeft hem verteld dat hij altijd naar het zwarte strand ging van San Giovanni Li Cuti. Roberto was daar alleen als klein jongetje geweest, had daarna de zilveren stranden van Taormina verkozen.

Suzanne is erg benieuwd, heeft nog nooit een zwart strand gezien en er zelfs niet van gehoord.

De collega zal hen opwachten en Enrico zal hen brengen.

Roberto wordt ongeduldig als het aankleden van Enrico lang duurt.

'Het is zo moeilijk om hem in beweging te krijgen.'

'Rustig nou maar, hij is bijna klaar.'

Als ze de deur uit gaan leest ze op het bordje naast de deur van het appartement aan de overkant waar vroeger zijn zus woonde: '*Famiglia dell' Ave Maria*'.

Dat is een religieus instituut voor studerende meisjes, geleid door een oude non, vertelt Roberto terwijl ze de trap afdalen. 'Soms komen ze me halen voor de mis.'

'Dan gaan jullie samen naar de kerk?'

'Nee, ze hebben een huiskapel, in de vroegere slaapkamer van mijn zuster.'

'Ga jij ook mee, Enrico?'

'Nee, dat is allemaal fantasie.'

Roberto gaat omdat ze zo aandringen.

'Het zijn lieve meisjes.'

De blauwe stoffige Fiat van Enrico staat voor de deur. Zij mag naast Enrico zitten, die een jasje draagt dat zijn vader vroeger droeg. Ze kijkt naar zijn zwarte wimpers. Roberto gaat achterin.

Enrico rijdt goed, beheerst en ontspannen. Roberto geeft af en toe commando's.

Statige lanen gaan over in grijze straten. Ze komen langs askleurige huizen, rijden door een wereld opgetrokken uit lava, grijs en heet. Ook de auto's zijn grauw door stof, as en ouderdom. Op een enkele hoek staat een karretje met meloenen, perziken, vijgen, kistjes donkere druiven met witte strikken eromheen. Ze rijden door buurten waar de was naast en boven de auto's tussen de grijze huizen wappert, en over pleinen met ruisende fonteinen tussen barokke gebouwen. Sommige voorgevels van gebouwen zijn gesierd met roodfluwelen doeken met een gouden A. Over de straten staan bogen van feestverlichting en overal hangen plakkaten met de beeltenis van Sant'Agata; een jonge blonde vrouw, de buste overdekt met juwelen. Allerlei straten zijn afgesloten in verband met het feest van de heilige, zodat ze een grote omweg moeten maken. Roberto bromt vanaf de achterbank dat ze de verkeerde kant op gaan, maar Enrico blijft kalm.

'Kijk, wat is dat?' Suzanne wijst op een groep jongemannen in lange witte gewaden.

'Die dragen een *sacco*,' zegt Enrico. 'Zo waren de Catanezen gekleed in de nacht van 17 augustus 1168 toen de relikwieën van Agata werden teruggebracht. Ze stormden de straat op in hun nachtkleren.'

Suzanne wordt steeds nieuwsgieriger naar dat feest en vindt het vreemd dat Roberto er nooit over heeft verteld.

Ze rijden langs eindeloze reeksen bloemenkraampjes. Rozen, lelies, tulpen.

'Het lijkt Nederland wel.'

'Daar is het kerkhof.'

Ze is er zo vaak langs gereden op weg naar Taormina, maar ze heeft nooit beseft dat achter die muren het kerkhof lag en dat die bloemenzee voor de doden is.

'Binnenkort kom je me daar opzoeken.'

'Ja, maar nu gaan we nog even een frisse duik nemen.'

Enrico rijdt rustig en beslist over de brede avenue langs de zee en parkeert de auto feilloos tussen een palm en een andere auto.

De medicus ontvangt hen allerhartelijkst in de bar waar ze hebben afgesproken, Da Polifemo. Hij is blij zijn vroegere werkgever te zien. Enrico gaat naar huis en ze spreken af dat hun gastheer hen straks terug zal brengen.

Aan de ene kant rijst de stad op en aan de andere kant, beneden hen, strekt zich het zwarte strand uit, omringd door zwarte rotsen. Op de donkere vlakte liggen mensen te zonnebaden op kleurige handdoeken.

Roberto en Suzanne gaan zich verkleden, samen in de enige cabine die er is. Hij kijkt niet naar haar terwijl ze haar kleren uittrekt.

Zijn rug is bedekt met donkere vlekken. Als aangetast fruit. Zijn geest is voor een groot deel weg en ook zijn lichaam verdwijnt langzaam, denkt ze.

Ze gaan op ligstoelen zitten aan de rand van het vreemde strand. De arts is hier heel vaak, ook in de winter. Veel mensen komen in de lunchpauze van hun werk hier even zonnen en zwemmen, vertelt hij. Roberto verbaast zich erover dat mensen zo'n rare plek uitkiezen.

'Ik vind het prachtig, wist niet dat het bestond. Kijk hoe mooi het blauwe water afsteekt. Ik stort me er even in.'

Over de koolzwarte grond loopt ze naar de zee, zonder dat er ook maar een veegje op haar voeten achterblijft.

Ze zwemt door het heldere water boven de gestolde lava die hier ooit sissend de zee in stroomde. Ze zwemt naar de horizon, waar de zee onzichtbaar oplost in de lucht.

Dan draait ze zich om en kijkt naar de twee zielenartsen op hun stoelen in de zon. Achter hen de stad en de Etna. Roberto heeft haar dit leven van strand en zee leren kennen. De mooiste stranden en de mooiste zee. Ze voelde zich een godin naast een oude god.

Vol leven had ze zich gevoeld door de eeuwige, rustgevende zee en de onvoorspelbare vulkaan. Ook hun liefde had haar wakker gehouden. Ze beleefde de heftigste scènes met Roberto, explosies van woede maakte hij in haar los. Omdat hij niet luisterde, haar niet zag, verzonken was in zijn eigen wereld. Ze wilde contact, waarom was je anders samen. Maar even later lachten ze weer, aaide hij haar over haar wang of neus en zei geamuseerd: '*La mia bambina capricciosa garibaldina*', en smolt ze in zijn armen op de dansvloer.

Als ze zich bij de mannen voegt, vertelt Roberto over zijn dramatische situatie, de onverzettelijkheid van zijn oudste zoon.

'Elio is een beetje koel, maar hij houdt van zijn vader en van zijn broer,' zegt de medicus.

'Dat is niet zo.'

'De professor houdt ook van hem,' zegt de collega, 'daarom reageert hij zo emotioneel.'

'Hij behoort samen met zijn vrouw tot de meest verwerpelijke mensensoort. Ik heb uitvoerig met hem gepraat, voorgesteld het appartement te verkopen maar hij zei: "Nee, ik wil het nu niet verkopen, later zal ik het appartement aan Enrico geven." Ja, dat zegt hij wel, maar na mijn dood stoppen ze hem in een tehuis en zij pikken het appartement in. Elio is niet normaal. Hij heeft een hekel aan mij omdat hij weet dat ik weet dat hij ziek is.'

'Wat heeft hij voor ziekte?' vraagt ze.

'Niet in staat tot gevoelens.'

De medicus legt uit dat hij Elio kent omdat hij ook in de kliniek werkte. 'Il professore vroeg mij altijd als eerste om raad. Elio was de laatste.'

'Dat creëert natuurlijk frustratie,' zegt ze geërgerd tegen Roberto. Zij heeft zich ook zo lang niet serieus genomen gevoeld. Hij zuchtte als ze vertelde dat ze had geschilderd of foto's had gemaakt. Zelfs toen ze haar fraai gepubliceerde artikel liet zien dat over Sicilië ging, zei hij: 'Dat geeft toch niet echt zekerheid.'

'Elio had de capaciteiten niet. Ik heb hem in huis genomen toen hij ineens getrouwd bleek, er een kind op komst was en ze heel armoedig woonden. Ik heb het gezinnetje onderhouden, hem zijn studie af laten maken. Toen hier niks meer te halen viel is hij naar het noorden vertrokken, naar de stad van zijn vrouw. Hij houdt zich daar bezig met duistere praktijken.'

'Zoals?'

'Paranormale dingen. Ik vertrouw het niet. Op de deur staat niets over zijn medische activiteiten. Alleen een heel klein bordje met zijn naam. Ook binnen niet. Vroeger hielp zijn vrouw hem. Nu is ze assistente van een waarzegster. Waar leven ze van? Misschien onderhouden ze bedenkelijke contacten.'

Achterdocht is een typisch Siciliaanse eigenschap. Sicilianen zijn niet alleen achterdochtig, ze zijn er vaak zeker van dat er iets duisters achter de dingen schuilt, een kwade bedoeling, en deze eigenschap is ook de oorzaak van hun beruchte jaloezie.

Roberto aait haar even over haar wang. 'Deze bambina geeft me een beetje zuurstof. Eventjes maar, straks is ze weer weg.'

Roberto aarzelt of hij een poging zal wagen om te zwemmen.

'Natuurlijk, dat zal je goed doen.'

De collega pakt de krant. Over de hele achterpagina staat een vroom omhoog kijkende, in wit T-shirt gehulde jonge vrouw met een stralenkrans om zich heen, omringd door engeltjes. In haar ene hand heeft ze een pak amandelmelk en in haar andere een vol glas. Eronder staat geschreven: 'Val Sant'Agata niet lastig om u te verlossen van de hitte, drink *latte di mandorla* Condarelli.'

Wankelend loopt Roberto naast haar over de zwarte vlakte. Wat was ze vroeger blij als hij ineens opdook aan het strand van Taormina, terug uit de kliniek. Fier, bruin, stralend. Dan doken ze samen de zee in of stoven weg met zijn motorboot.

Ze houdt zijn hand vast als hij zijn voet in het water zet,

maar hij voelt zich te onzeker op het wegglijdende zwarte zand, is bang om te vallen en keert terug naar zijn stoel.

'Ook dat is voorbij. Het spijt me, *bambina*.'

Amaro en zàgara

Madu heeft net water opgezet voor de pasta. De tafel is gedekt.

Als ze onder de douche vandaan komt hoort ze muziek.

Roberto zit onderuitgezakt op een stoel, naast hem de kleine cassetterecorder die zij hem ooit gaf, en bandjes met muziek waarop ze dansten.

'A whiter shade of pale' klinkt.

Jarenlang was hij haar favoriete danspartner geweest.

Een melancholieke glimlach.

Nooit meer zwemmen, nooit meer vrijen. Misschien nog een dans, een langzame, laatste.

Het schokt haar dat het haar niet dieper raakt.

Ze kijkt naar de kroonluchter boven hun hoofd, waarvan de druppelvormige stukjes glas bedekt zijn met stof. Tranen die zelfs als alle kaarsen branden niet meer glinsteren.

'*Piccola*, je ogen glanzen.' Hoe vaak had hij dat niet gezegd aan al die romantisch verlichte tafels. Toen maakte ze deel uit van het drama. Nu kijkt ze ernaar.

Madu vertelt dat het eten klaar is.

Suzanne gaat Enrico uitnodigen. Door de kier ziet ze dat de kamer donker is.

'Ik kom.' Het klinkt als het gebrom van een cycloop uit een grot.

Madu zet *rigatoni* op tafel met tomatensaus.

'Wilt u wijn?'

Dat wil ze graag. De anderen niet. Ze hebben zich al op de pasta gestort en niets kan hen afleiden. Smakelijk eten wensen is hier geen gebruik.

De rigatoni zijn erg lekker.

Madu blijft lang weg met de wijn.
Als de pasta op is komt hij meedelen dat er geen kurkentrekker in huis is. Roberto kijkt verstoord.
'Drinken jullie nooit wijn?'
'Nee.'
'Wilt u misschien een glaasje Cynar?'
'Ook goed,' zegt ze, al weet ze niet wat het is.
Als hij even later aan komt zetten met een bekende fles met schroefdop, realiseert ze zich dat het een *amaro* is, een soort kruidenbitter, gemaakt van artisjokken.
De mannen kijken uitdrukkingsloos terwijl zij van het digestief nipt.
'Die kurkentrekker zal hij wel mee naar huis genomen hebben,' mompelt Roberto.
Madu verschijnt met olie en azijn. Even later met twee bordjes. Op het ene liggen wat blaadjes sla, op het andere stukjes tomaat.
Hij komt nog een keer terug met een blikje tonijn waar hij de deksel vanaf heeft gehaald.
De mannen hebben dit nog nooit gegeten.
Ze schept Roberto wat op. Enrico ook?
Hij wil wel.
Zij bedient hem.
'*Vedi, abbiamo la mammina.*'
'Hoe heb jij de ochtend doorgebracht, Enrico?'
'Thuis,' onthult zijn vader.
'Televisie gekeken?'
Vermoeid zegt hij: 'Huishoudelijke dingen, me geschoren, krant gelezen.'
Ze stikt bijna in de sla.
'Ga ik het overleven?' piept ze.
'Vermoedelijk,' zegt Roberto rustig, 'meer dan vijftig procent kans. Misschien wel tachtig, ach, en wat is twintig procent.'
Ze zouden een keer samen naar een mooi restaurant moe-

ten, misschien zou er dan iets van de oude sfeer terugkomen, van zijn neiging om te spelen. Misschien zou hij weer: '*Beviamoci su*!' zeggen, laten we ons vrolijk drinken. Of: 'Kom, laten we dansen.'

Na het eten trekt Roberto zich terug in zijn slaapkamer.

'Kom even hier, *piccola*.'

Hij zit in de fauteuil naast zijn bed, wijst naar een klein uitklapbaar stoeltje en gebaart dat ze dat naast hem moet zetten.

Als ze dat heeft gedaan slaat hij een arm om haar heen.

Ze legt haar hoofd op zijn schouder. Hij trekt zijn hemd omhoog. Ze legt haar hand op zijn borst.

'Kun je vertellen aan je *amoroso* dat je vijf minuten een beetje tegen me aan hebt gezeten. Onschuldig. Hoe is het met je amoroso?'

'Afgelopen.'

'Kon hij voor je zorgen?'

'Hoe bedoel je?'

'Financieel.'

'Ik verdien mijn eigen geld.'

'Kom hier wonen. Als we botje bij botje leggen.'

Hij zegt het niet op een ironische toon. Het irriteert haar. Dat kan hij toch niet van haar verwachten? Heeft ze er fout aan gedaan te komen, verkeerde illusies gewekt?

Een schaduw.

Enrico.

Hij ligt op de loer. Hij luistert, gluurt. Ze trekt haar hand terug, laat haar hoofd op de schouder van Roberto liggen.

Ze schrikt op van muziek.

Roberto wijst op een glazen stolp waarin een bronzen danseresje ronddraait dat weer stilstaat als de muziek zwijgt. Dan slaat de ballerina drie keer op een gong. Die speeldoosklok is van zijn moeder geweest; haar vader had hem speciaal voor haar laten maken.

Zijn moeder stamde uit een oud adellijk geslacht. Zijn vader was van eenvoudiger komaf, maar een intelligent en ernstig man, docent wis- en natuurkunde aan de universiteit.

Enrico komt binnen met een uitdrukkingsloze blik, kijkt even en loopt langzaam de kamer weer uit.

Ze installeert zich achter Roberto's bureau. Vroeger ontving hij hier elke middag patiënten. Met die telefoon heeft hij haar jaren gebeld, trouw, elke dag om een uur of zes, waar ze ook was.

Af en toe ziet ze een schaduw langs de openstaande deur glijden.

Ze bekijkt de boeken die er liggen. Een medische encyclopedie, nog een paar vakboeken. Ze maakt een map open. Er zit een stapel papieren in die volgetikt zijn met een ouderwetse tikmachine. Er is tussen en naast de regels geschreven, in Roberto's handschrift. Over de wantoestanden van de psychiatrische zorg in Italië. Daar was hij ook al mee bezig toen ze hem pas kende. Dat zou een belangrijk pamflet worden.

Ze draait zich om en bekijkt de wand met boeken achter zich. Veel vakliteratuur, over algemene geneeskunde en psychiatrie. Ook buitenlandse meesterwerken in het Italiaans; Shakespeare, Dostojevski, Toergenjevs *Vaders en zonen*, een dikke literatuurgeschiedenis, fotoboeken. Ze pakt het oudst ogende fotoboek, bladert er snel doorheen. Oude zwart-witfoto's. Zijn vader en moeder als bruidegom en bruid. Ze zien eruit als filmsterren op een set, maar waarschijnlijk zijn de foto's genomen op het landgoed waar Roberto's moeder is opgegroeid. De grond voor hun voeten is bestrooid met sinaasappelbloesem die hier *zàgara* heet, van het Arabische *sahara*, lichtend wit. De bloemen voor een Siciliaanse bruid, zoetgeurend en maagdelijk blank. Ook om haar gitzwarte haar ligt een vlecht zàgara, als een stralenkrans.

In de verte klinkt het geluid van de televisie. Daar zal Enrico wel voor zitten, maar hij kan hem ook expres hebben aangezet om rustiger te kunnen rondsluipen.

Roberto als klein jongetje. Zijn schitterende moeder weer. Drie zusters, allemaal met die grote felle ogen. De vader rechtop met trotse blik, een vlinderstrik onder zijn puntbaardje. Roberto als jongeling, in witte doktersjas, het hoofd met volle zwarte krullen gebogen over een microscoop; Roberto, jong en ontspannen op het plein bij café Mocambo in Taormina, waar ze vaak een aperitief dronken, achter hem datzelfde, stilmakende uitzicht van de baai en de Etna. Het station van Taormina waar ze zo vaak aankwam of vertrok, platgebombardeerd.

1943.

Ze herkent het grote rode boek met al zijn vriendinnen. Dat boek heeft ze vaak bestudeerd in de Villa Normanna als hij er niet was, als hij hier was, bij zijn gezin.

Met al die vrouwen had hij het bed gedeeld.

Dan pakt ze een klein, nieuwer boekje.

Er zitten foto's in van haar, allemaal zorgvuldig ingeplakt. Alleen of samen met Roberto. Omstrengeld, stralend, lachend, na een huilpartij. In de Villa Normanna, in de tuin van Albergo San Domenico, in de tempelvallei van Agrigento, in Rome...

Sloffende stappen.

Haastig zet ze het boekje terug. Het is de pas van de vader, die iets lichter en langzamer klinkt dan die van de zoon.

'Ik heb Enrico de televisie uit laten doen. Hij zit nu in de keuken.'

'Ik heb helemaal geen last van de televisie.'

Roberto maakt hem het leven onmogelijk. Logisch dat hij zich terugtrekt in zijn eigen wereld.

'Ga dan maar even naar hem toe, en zeg dat het je niet stoort. Hij is makkelijk uit zijn evenwicht te brengen.'

Ze gaat naar de keuken. Enrico zit op een stoel naar reclame te kijken, zonder geluid. Ze zegt dat zijn vader het verkeerd begrepen heeft.

Als ze terugkomt in de studio zit Roberto daar in de fauteuil.

'Goed dat je dat gedaan hebt. Je weet hoe hij is.'

Ze gaat weer achter het bureau zitten.

'Madu maakt lange boodschappenlijsten en we eten bijna niks. Ik moet enorme bedragen betalen. Volgens mij doet hij ook boodschappen voor zijn vrouw en hun vijf kinderen.'

'Dat kun je controleren, gewoon nakijken of de dingen die op de lijst staan ook in huis zijn.'

'Zou ik moeten doen ja.' Maar tussen denken en doen gaapt op dit eiland een diepe kloof.

'Ik zei al, kun je niet beter een vrouw in huis hebben een paar uur per dag, dat kost veel minder. Een vrouw die goed schoonmaakt, lekker kookt, gezelligheid schept in huis.'

'Tja, dan bespaar je een paar honderd euro. Madu is hier al zo lang, kent onze gewoontes, kan injecties geven. De mensen in het appartement beneden doen af en toe iets voor me maar zijn erg onbetrouwbaar met het betalen van de huur. Ik heb ze hun achterstallige maanden kwijtgescholden en de huur verlaagd maar nu beginnen ze weer met gejammer. Ik moet ze eruit zetten.

Mijn nicht mocht een meubelstuk meenemen uit het huis van mijn zuster aan de overkant van de gang. Ze heeft vier meubels meegenomen. Sindsdien praten we niet meer met elkaar. We zijn hier alleen. Als er iets gebeurt is er niemand om ons bij te staan.' Hij kijkt haar niet aan terwijl hij praat. 'De familie Colafiore sterft uit met ons. Maar wat geeft dat? Onze drama's lijken zo groot, maar in Afrika... De mensheid gaat te gronde. Niemand ziet af van een auto, een tweede auto. Het poolijs smelt, de zeeën worden leeggevist.'

Soms verstaat ze hem niet door het verkeer dat beneden langsraast.

'Arme mensen die na mij komen, het zal erger zijn dan de atoombom. Steeds meer vervuiling. Als de mensen uit de derde wereld buiten worden gehouden komen ze met wapens. Psychiatrische patiënten moeten verzorgd worden door een tachtigjarige. Niemand kan opgenomen worden tegen zijn wil. Als ik Enrico voorstel zich een periode op te laten nemen, barst de hel los. Ik was bezig er iets over te schrijven en ideeën voor hervormingen op een rij te zetten, maar wie luistert er naar een oude, buiten spel gezette man? Bovendien moet je goede relaties hebben met politici. Iedereen denkt alleen aan zichzelf en wil me gebruiken.'

Ze vraagt zich af of ze dit wel een week volhoudt. Ze moet dingen gaan ondernemen. De stad in. Vroeger had hij ook een neiging tot zwartkijkerij, maar die werd afgewisseld met uitbundigheid.

'Ik heb mooie vriendschappen.'

'Ik niet.' Na enige stilte: 'Ja, met jou. Wij hebben een mooie vriendschap hè?'

Enrico loopt de studio binnen. Hij gaat achter het bureau staan en kijkt naar haar beeldscherm.

Hij had jaren geleden overwogen een computer aan te schaffen, was naar de winkel gegaan en ontdekte dat die meer dan vijf miljoen lire kostte. Vijfentwintighonderd euro.

'Als leraar wis- en natuurkunde heb je informatica niet echt nodig,' zegt hij.

Roberto kijkt cynisch. 'Hij werkt nooit.'

'Biedt veel mogelijkheden,' zegt ze en kijkt ook naar Roberto.

'Ik heb het wel overwogen, maar dan moet er iemand thuiskomen om het me te leren.'

'Internet zou iets voor jullie zijn.'

'Ik ben te oud en heb genoeg aan de informatie die ik al bezit.'

'Je kunt je pamflet op de computer schrijven en de wereld in sturen.'

'Of we doen helemaal niks. Dat is nog beter.'

'Een kwestie van willen.'

'De wil is gebroken.'

Ze kijkt vermoeid.

'"De Siciliaan wil slapen," zoals de oude Tijgerkat zegt. En zo is het, *bambina*.'

Hij gaat op bed liggen.

Zomaar ineens vraagt Enrico terwijl ze schrijft: 'Matthiau, waar komt dat vandaan, is het Russisch?'

Ze vraagt waarom hij dat wil weten.

Hij heeft boeken over fysica van de hand van een schrijver met die naam. Hij leest ook over medische onderwerpen, zegt hij. Dan loopt hij het balkon op. Zijn schoen is nog steeds kapot. Hij kijkt. Waarnaar?

Deze logge man met sombere blik en lieve lach in zijn korte broek heeft waarschijnlijk nooit een vrouw bemind. Zijn vader honderden.

Enrico loopt de kamer uit. Hij gaat in de salon zitten, bladert even in een tijdschrift en staart dan voor zich uit. Af en toe hoort ze zijn vader hoesten.

Fichi d'India

Vuurwerk spat open aan de hemel, maar ze rijden de andere kant op om te gaan eten in het nieuwe restaurant dat Roberto's vriend Ettore Musomeci heeft geopend in de kolossale familievilla. Vlak bij de villa ligt La Baia Verde, het luxehotel waar ze in de bloeitijd van hun liefde af en toe logeerde. Daar gaan ze eerst een aperitief drinken. Enrico blijft thuis. Ze zijn opgehaald door een taxi. Roberto had gehoopt dat de chauffeur van de sociëteit, die hij al heel lang kent, hen elke dag kon begeleiden, maar die heeft veel andere verplichtingen. Roberto is geërgerd. Vroeger ging hij een paar avonden per week naar de sociëteit maar de laatste tijd kwam hij er niet meer. De gesprekken gingen altijd over hetzelfde, zei hij, en ze probeerden hem alleen maar geld te ontfutselen bij het kaartspel.

'Je kunt ook wel eens mensen thuis uitnodigen,' zegt ze, terwijl ze langs de kust rijden. Ze heeft niet de neiging om zijn hand te pakken, zoals vroeger.

'Dan is er het probleem Enrico. Hij gaat erbij zitten. Zodra iemand aandacht aan hem besteedt, tegen hem praat, raakt die hem niet meer kwijt. Je ziet het gebeuren, hij is altijd in je buurt.'

'Jij moet ook met hem praten.'

'Dat is niet mogelijk.'

'Ik praat over van alles met hem.'

'Ik heb hem mijn sandalen gegeven. Een paar dagen geleden zag ik dat er een kapot was. Toen ik hem erop wees zei hij: "Er is iemand mijn kamer binnengedrongen en die heeft hem kapotgemaakt." Dat soort gekkigheden. Zijn deur zit vol sloten. Ook als ik thuis ben sluit hij zich vaak op.' Na een stilte zegt hij: 'En toch zou ik het heel erg vinden als ze Enrico op een dag weg kwamen halen.'

De chauffeur helpt Roberto uit de auto. Bij de receptie sprongen ze vroeger op en kwamen hem met uitgestrekte arm tegemoet, riepen de directeur, die hem onmiddellijk kwam verwelkomen. Hier logeerde ze soms in de winter. Roberto ging elke dag naar de kliniek, sliep 's nachts thuis en de rest van de tijd was hij bij haar.

'Allemaal nieuwe gezichten,' mompelt Roberto. 'Ach, en al die hartelijkheid en warmte was louter omdat ze aan me verdienden.'

Ze dalen af naar de bar bij het zwembad, beneden hen ligt de zee. Salvo, de barman van Villa Sant'Elena in Taormina, werkt er nog wel maar vanavond is hij vrij. Een glamourbar in het glamourhotel waar ze cocktails dronken met regisseurs en filmsterren, Siciliaanse adel en maffia. Roberto was nooit te moe om te dansen. Als een hond schoot hij blaffend over de dansvloer en beet vrouwen in de benen, gaf haar een sigaar, een kolossale, superdure. 'Als je die zonder te lachen rookt, is hij voor jou.' Hij deed voor hoe ze een glas moest aanreiken, met twee vingers volledig ondergedompeld in de champagne en natuurlijk met een uitgestreken gezicht. Ze vond het leuk de psychiater en ziekenhuisdirecteur zo gek te zien doen. Ze hield van die contrasten, van die wonderlijke combinatie van eigenschappen.

Ze bestelt een Martini Bianco, hij vraagt ook om '*un bianco*'. Maar als hij even later een slokje neemt, trekt hij een vies gezicht. 'Wat is dit voor raar drankje?' Hij dacht dat hij witte wijn zou krijgen.

'Ach het is ook beter om niks te drinken.'

Beneden hen klinkt het klotsen van de golven en boven hen gebrom van helikopters.

'Wat doen die?'

'Speuren naar smokkelaars, van sigaretten, drugs, mensen die zijn overgestoken uit Afrika. De arme stakkers.'

Ze vertelt over een oude vriendin die ook de deur niet meer uit komt. '"Ik heb een rijk innerlijk leven," zei ze. "Ik verveel me nooit."'

'Mijn innerlijk leven bestaat uit zwarte gedachten.' Hij valt stil en staart voor zich uit.

Weer klinkt er geknetter van vuurwerk.

'Agata.'

'Heb jij nooit meegedaan met dit feest?'

'Ach ja, vroeger...' Zijn blik is zachter. 'Na de dood van mijn moeder leefde ik met Sant'Agata. Zij was mijn alles, een moedertje.' Roberto had een plaatje van haar boven zijn bed en ook in zijn broekzak. Agata waakte over hem. Hij ging bijna elke dag naar de kapel in de dom waar ze rust. Maar de oorlog brak uit en hij moest naar Egypte, naar El Alamein. Dat had hem geknakt, zei hij vaak, de dood van zijn moeder en de oorlog. In El Alamein had hij de hel gezien. Al zijn makkers met wie hij vol goede moed op weg was gegaan, met wie hij grappen maakte, met wie hij at, bij wie hij sliep in de tent, kwamen om. Eén keer had Roberto er iets uitvoeriger over verteld. Er stonden tranen in zijn ogen. Overal om hem heen lagen ledematen, zei hij, afgeslagen hoofden. De jongen met wie hij het het best kon vinden, ook een student medicijnen, was gek geworden en was bewust het vijandelijke vuur tegemoetgerend. Dat kwam vaker voor, dat mannen liever de dood in renden dan nog langer in die gekmakende spanning te leven. Zelf was Roberto in zijn been geraakt en afgevoerd. Dat had zijn leven gered. Er zat bloed van kameraden op zijn uniform.

'Ik heb de spirituele dingen verwaarloosd ja. Maar dat komt ook door hoe mijn leven is gelopen.'

Terug uit de oorlog was er geen plaats meer voor hem in het grote familiepalazzo. Zijn vader woonde daar met twee van zijn dochters en hun echtgenoten. Zelfs een kamertje konden ze hem niet geven. Alsof ze het hem kwalijk namen dat hij aan het front was geweest.

Roberto had in Mussolini geloofd. Daar schrok Suzanne van toen hij het haar vertelde. Mussolini had veel goed werk verricht op Sicilië, legde hij toen uit, de maffia aangepakt. Zijn ideeën over de corporatieve staat stonden hem aan. Wanneer een bedrijf floreerde, moesten de inkomens van de directeur en van de werknemer evenredig meegroeien bijvoorbeeld. Later zag Roberto in dat hij zich in veel dingen had vergist. Roberto schaamde zich, voelde zich vernederd dat hij er zo naast had gezeten, dat hij naïef in een betere toekomst had geloofd. Later had hij het communisme omhelsd, omdat hij nog steeds geloofde in een maakbare wereld. Het was een reactie op zijn vader en op zijn land, zei hij, op die diep ingewortelde scepsis van de Siciliaan, die zoveel uitbarstingen, aardbevingen en vreemde heersers heeft moeten verduren dat hij niet kan geloven dat de dingen ooit beter zullen worden. Het was dan ook niet toevallig dat er in het Siciliaans geen toekomende tijd bestaat.

Zoveel volkeren hadden dit eiland overheerst, maar zelf had Sicilië nooit een actieve rol gespeeld in de geschiedenis en dat zou nu anders worden, had hij in zijn jeugdige overmoed gedacht.

Scepsis is het beste tegengif tegen fanatisme, zei zijn vader altijd.

Roberto vermoedde dat hij de vrucht was van een buitenechtelijk avontuur van zijn moeder en dat hij daarom als vreemde eend werd behandeld. Zijn moeder was uitbundig, optimistisch, hield ook erg van Sant'Agata. Zijn zusters vonden de Agatacultus, evenals hun vader, een strenge rationalistische man, afgodenverering voor simpele zielen.

Na de oorlog, zoveel illusies armer, zat hij gevangen in een huwelijk met een verkeerde vrouw en met twee kleine kinderen. Hij moest hard werken om de kost te verdienen.

Toen hij later succes kreeg met zijn psychiatrische kliniek, dompelde hij zich onder in het dolce vita van Taormina, waar hij zich omringde met mooie vrouwen.

'Tja, ik had meer trouw moeten blijven aan haar, aan Agata, heb alles fout gedaan.'

Natuurlijk waren hem rampen overkomen, en dat had Suzanne milder gemaakt ten opzichte van hem, maar het voortdurend aanvoeren daarvan als excuus voor zijn levensstijl irriteerde haar ook. Een ander zou zich door diezelfde ervaringen juist op de spirituele dingen hebben geworpen.

Suzanne wil de martini's afrekenen. Roberto vindt dat raar, hij stribbelt tegen, maar ze staat erop.

Als ze weglopen heeft ze de indruk dat ze hem er helemaal geen plezier mee heeft gedaan, integendeel, misschien ervaart hij het wel als een vernedering.

Ze steken over naar de villa aan de andere kant van de boulevard, waar Roberto lang geleden ruisende feesten heeft beleefd, toen de familie er woonde. In het restaurant is hij nog niet geweest. Hij heeft Ettore uitgenodigd samen met hen te dineren. Ettore zou kijken wat hij kon doen, wilde Suzanne graag zien. In Taormina ontmoetten ze elkaar regelmatig. Hij was de zoon van de oude edelman die half Sicilië bezeten had en die zijn immense vermogen er vrijwel volledig door had gejaagd met zijn playboyleven. De tirannieke vader was onlangs overleden en zijn zoon had dit luxerestaurant geopend in een van de weinige paleizen die aan zijn vaders spilzucht waren ontsnapt. Ettore zei dat dit een lang gekoesterde wens van hem was, een restaurant bestieren, maar Roberto is ervan overtuigd dat de ware reden geldnood is.

Het wemelde op dit eiland van de edellieden. Er bestond oude adel maar ook veel heel jonge, had Roberto haar uitgelegd. Toen de Bourbons hier heersten was het erg gemakkelijk een adellijke titel te bemachtigen. 'Je hoefde maar één generatie niks uit te voeren en je was baron.' Deze oude familie moest na eeuwen rentenieren weer aan het werk.

Ze eten in de grote ommuurde tuin, verlicht door fakkels en kaarsen onder hoge mediterrane bomen.

Suzanne mag de wijn proeven.
Kurk, overduidelijk.
De ober ruikt ook en komt tot dezelfde conclusie.
Roberto kijkt met onverholen verbazing.
'*Una donna*.'
Alsof vrouwen geen smaakpapillen zouden hebben.
De volgende fles is goed.

Ze zitten naast een reusachtige *fico d'India*, een cactus waar eivormige oranjegele vruchten op groeien die zoet en subtiel smaken maar waar nog subtielere, vrijwel onzichtbare stekels op zitten die dagen in je vingers kunnen blijven prikken. Het vruchtvlees is zacht en zoet maar telkens lijkt het of je op een stukje hout bijt, de pitjes, wat het eten tot een dubbelzinnige ervaring maakt.

De plant wekt de herinnering op aan een vreemd avontuur, jaren geleden.

Ze waren in gesprek geraakt met twee echtparen die in hetzelfde hotel als zij in Taormina logeerden. Ze hadden aan dezelfde tafels gegeten, daarna samen gedanst. Toen de echtparen vertrokken, hadden ze hen hartelijk uitgenodigd eens naar hun stad, Ragusa, te komen en daar bij hen te logeren. Suzanne had op een bezoek aangedrongen, omdat ze wel eens een andere hoek van het eiland wilde zien.

Ze maakten een lange slingertocht tussen eindeloze hagen van fichi d'India door. In de mooie villa met zwembad van het ene echtpaar logeerden nog drie mannen, die voortdurend moppen vertelden en altijd binnen bleven.

Toen Suzanne zich met Roberto had teruggetrokken voor de siësta, zei hij fluisterend en duidelijk geschokt dat hij alles begreep. Ze waren in een schuilplaats van maffiosi beland. Hun gastheer had gezegd dat Erc zeer lovend over de professor had gesproken. Erc was de afkorting van de naam van een *capo maffioso*.

Ooit was een medewerker van die Erc opgenomen geweest in Roberto's kliniek. Op een dag was er politie verschenen, die de kaartenbak wilde bekijken. De kaart maakte duidelijk dat de man na twee dagen ontslagen was omdat hij zich niet aan de kuur wilde onderwerpen. Maar ineens dook er een andere kaart op waarop stond dat hij langer opgenomen was geweest. Op deze manier had hij een alibi gevonden voor een moord. Die kaart was ondertekend door Elio, die Roberto had vervangen toen hij met vakantie was.

Waarschijnlijk werden die andere logés daar in Ragusa gezocht. Ze gingen nooit mee naar het strand, of uit eten. Ze noemden geen van allen hun achternaam en ze zaten de hele dag te kaarten, wat ook de voornaamste bezigheid is van gevangenen. Het was behoorlijk gevaarlijk, zei Roberto, stel je voor als de politie een inval deed. Suzanne vond het in stilte wel spannend, alsof ze in een film was beland en tegelijkertijd in het Echte Leven. Ze was zich ervan bewust dat ze in een betrekkelijk veilig en beschermd hoekje van de wereld was opgegroeid.

Toen ze het ene echtpaar de volgende zomer terugzagen in Taormina en vroegen naar het andere stel, zei de man: 'Doodgeschoten.'

De vermoorde man was een onderhoudende, gesoigneerde verschijning geweest met wie ze veel had gedanst.

Samen halen ze herinneringen op, wat hen dichter bij elkaar brengt, een sfeer van intimiteit schept die ze nog niet had gevoeld. Het kaarslicht staat hem goed.

'Je begrijpt dat ik mijn zoon met achterdocht bekijk. Waar leeft hij van?'

Een kus op haar wang. Ze draait zich om en ziet Ettore. Hij was graag bij hen komen zitten maar dineert met een oude man die erg doof is en in gezelschap niks hoort.

'Voor jou gaat de tijd niet voorbij,' zegt hij tegen haar en verdwijnt weer naar de dove man.

Na het eten gaan ze naar huis. Dansen is ondenkbaar. Roberto is moe.

Ze bellen een taxi.

Als ze thuiskomen zit Enrico televisie te kijken, maar hij staat meteen op. Ze praten wat staande, dan schuift hij een tuinstoel bij voor zichzelf en gebaart haar plaats te nemen in de fauteuil.

Roberto komt uit de badkamer en gaat bij hen zitten.

'Er is vaak niks interessants op de buis,' zegt Roberto, 'laat dan tenminste een mooi vrouwengezicht zien. *Un bel volto di donna*.'

Ze gaan slapen. Enrico geeft haar een bekertje water in de keuken, hoffelijk en behulpzaam.

Roberto wenkt haar als hij zijn kamer in loopt. Hij gaat in de luie stoel zitten en trekt haar even op schoot, haar hand op zijn borst.

'Je bent hier gekomen om me bij te staan, dan moet je wel wat doen. Anders krijg je schuldgevoelens en dat zou ik vervelend vinden.' Ze streelt hem een tijdje over zijn harige borst. Dan kust ze hem welterusten, op zijn wangen en vluchtig op de mond.

Salamalecchi

Als ze 's ochtends uit de badkamer komt ziet ze Roberto ineengezakt in pyjama op zijn stoel naast het bed zitten.

'Slaap je?'

'Een beetje,' zegt hij met een lijdend gezicht. 'Ik voelde me niet goed vannacht.'

'Wat vervelend. Wat voel je dan?'

'Er is iets helemaal mis hier,' zegt hij, terwijl hij over zijn buik wrijft.

Madu komt binnen met een grote spuit in zijn hand.

Een klein knikje in haar richting, zonder expressie.

'De bambina moet ons nu maar even alleen laten,' zegt Roberto vriendelijk.

Suzanne verlaat de kamer.

Ze gaat naar Enrico die voor de televisie zit.

'Wat is er met je vader?'

'Zijn ingewanden werken niet. Hij eet verkeerde dingen.'

'Madu is ook verpleger?'

'Hij kan injecties geven en klysma's.'

Dan ontdekt Enrico dat de grote klok verder is dan zijn horloge.

Er bestaan veel verschillende soorten klokken, vertelt hij; hij geeft een kort college en gaat dan de tijd bellen.

Ze neemt een kijkje in zijn kamer. In de schemering ontwaart ze een onopgemaakt eenpersoonsbed. De muren en kasten zijn beplakt met uitgeknipte krantenartikelen die te maken hebben met scholen en universiteit. In de kast staan boeken over wiskunde, natuurkunde, medicijnen en in het midden van de kamer een grote teil met wasgoed.

Als ze Enrico's geslof hoort schiet ze haastig de kamer uit.

Hij stelt voor alvast te gaan ontbijten.

Er prijkt een grote foto van Sant'Agata op de voorpagina van *La Sicilia*, die Madu elke ochtend meeneemt. De krant ligt naast Roberto's bord. Het lieve, geheimzinnig glimlachende meisje, wier boezem is bestrooid met edelstenen, wordt gedragen door mannen in witte gewaden.

'Ik weet eigenlijk niks van Sant'Agata,' zegt Suzanne.

Ze was een van de eerste christinnen in Catania, vertelt Enrico. De Romeinse consul wilde met haar trouwen maar dat weigerde ze, en daardoor is ze de marteldood gestorven. Eerst zijn haar borsten erafgesneden en daarna is ze geroosterd. Enrico vertelt het met een uitgestreken, wat vermoeid gezicht, terwijl hij strak voor zich uit kijkt.

Het probleem was niet zozeer dat Agata een andere god aanhing, zegt hij dan, maar dat ze weigerde offers te brengen aan de heidense goden. Nieuwe goden konden er altijd bij. Ook Isis en Mithras hadden hun heiligdommen en aanhangers op Sicilië. Dat mocht, als de andere goden er maar niet onder leden. Wanneer de goden op de Olympus of in de onderwereld hun offers misliepen zouden ze verstoord kunnen raken en wraak nemen op de mensen door bijvoorbeeld de vulkaan uit te laten barsten. Als bewijs dat je geofferd had werd er een soort rekening, een *libellus*, afgegeven. Mensen die geen libellus konden laten zien brachten hun medemensen in gevaar en moesten worden gestraft.

Roberto komt aangesloft en gaat aan tafel zitten.

'Wat een gebabbel. Zoveel heb ik Enrico nog nooit horen praten.'

'Hij leert me iets over Agata. Heel interessant.'

'Het is een commercieel gebeuren geworden,' zegt Roberto.

Roberto heeft geen zin en geen kracht om naar het strand te gaan. Ze twijfelt even of ze alleen zal gaan, besluit dan thuis te blijven.

Als Roberto ook koffie heeft gedronken en wat stukken

koek heeft gegeten, al monkelend dat hij helemaal niks zou moeten eten, gaat ieder zijns weegs, de mannen sloffend, doelloos.

Roberto gaat op bed liggen, Enrico kijkt televisie, zij zet zich achter Roberto's bureau en leest in de krant over het feest dat ze net heeft gemist.

Na een tijdje komt Enrico binnen en gaat bij haar aan het bureau zitten met een plastic bekertje in zijn hand.

'Wil je ook water?'

'Graag. Ik pak het zelf wel.'

Roberto wenkt als ze langs zijn slaapkamer loopt.

'Wil je een glaasje water?' vraagt ze.

Hij kijkt gelukkig. 'Een echte *mammina*. Is Enrico bij je? Kijk maar uit. Als je te veel luistert...'

'Ik kan heel goed met hem praten. Er is juist te weinig naar hem geluisterd.'

In de keuken schenkt ze water in een glas en in een plastic bekertje.

Als ze het glas aan Roberto overhandigt kijkt hij dankbaar en vraagt: 'Drink jij liever uit plastic bekertjes?'

'Solidair met Enrico.'

Hij zucht. 'Zie je hoe gek hij is? De glazen worden door Madu gewassen en die vertrouwt hij niet.'

Ze gaat weer naar Enrico, maar Roberto voegt zich ook bij hen.

'Waar hadden jullie het over?'

'Over dat de natuurkundelaboratoria op de scholen zijn verdrongen door computers en dat hij het niet zo erg vindt niet meer als invaller te werken.'

'Hij weigert elk soort werk,' bromt Roberto.

'Enrico, je verveelt je nooit, hè?'

'Je moet het leven nemen zoals het komt.'

Hij loopt naar het balkon. Roberto kijkt stuurs voor zich uit.

'Je verdiept je niet echt in Enrico.'

'Niemand helpt me,' schreeuwt hij driftig. 'Elio en mijn schoondochter Ida trekken zich er niks van aan! Ik doe alles voor Enrico. En dan nog kritiek ook!'

De bel.

Roberto sloft naar de deur en even later klinkt een vrouwenstem.

'U zou toch bellen? Nee, professore, dat bent u vergeten.'

Roberto komt de studio in, gevolgd door een in het rood geklede vrouw van een jaar of vijfendertig met lang zwart haar.

'Ah, dat is *la famosa Susanna*!'

Ze drukken elkaar de hand.

'Professore, u wilde haar weghouden. Dat begrijp ik wel.'

'Nee nee, jullie zouden haar afhalen.'

'U zou ons bellen.'

'Doet er niet toe, ik ben hier,' zegt Suzanne luchtig.

'De professore heeft zoveel mooie dingen over u verteld. Hij ziet er meteen weer jong en vitaal uit.'

'*Si si*, ik lig half in mijn graf.'

Ze kwam vragen of Enrico de auto weg kon halen want die staat voor die van hen, en haar vriend, Saro, heeft hem nodig. 'Maar we zien elkaar wel weer. We bellen.'

Als ze weg is bromt Roberto: 'En weer geen huur, hè, niet eens excuses.'

Suzanne wil weg om zonnebrandcrème te kopen en de buurt te verkennen.

Ze gaat de deur uit, drinkt een cappuccino in een bar naast de gesloten apotheek. Daar wijzen ze haar een winkel aan het eind van de straat. Op de hoek staat een klein wagentje met vis. Sardientjes, octopus, het omhooggestoken wapen van een onthoofde zwaardvis.

'Suzanne!'

Ze draait zich om.

De buurvrouw.
Tina loopt met haar mee, ze moet dezelfde kant op.
'De professor keek erg uit naar je komst.'
'Hoe vind jij dat het met hem gaat?'
'Het gaat slechter. Hij komt bijna de deur niet meer uit, is steeds somberder, bitter. Hij heeft betere verzorging nodig. Het is er vies. Er zitten vlekken op zijn kleren.'
'En Madu kookt elke dag hetzelfde.'
'Madu zegt dat de professor dat wil. Toen zijn vrouw nog leefde was het beter. Madu maakte goed schoon. Nu laat hij het verslonzen.'
'Als hij boodschappen doet, blijft hij uren weg.'
'En de meeste boodschappen zijn voor hemzelf.'
'Een moederlijke vrouw zou het heft in handen moeten nemen.'
'Ik heb het aangeboden. Heb op het ogenblik geen werk.'
'Dat zou geweldig zijn.'
'Ik ben een heel goede kok.'
Suzanne is opgetogen door dit nieuwe idee. Een pittige jonge vrouw in huis die goed kan koken. Vroeger zou ze bang zijn dat Roberto op de verleiderstoer zou gaan, nu voelt ze geen spoortje jaloezie.
Ze stelt voor iets te drinken op een terras waar een paar tafeltjes en stoeltjes staan. Ze gaan zitten op een plekje in de schaduw.
Tina bestelt een glas abrikozensap en Suzanne volgt haar voorbeeld.
'Hij zit daar maar thuis, neemt geen enkel initiatief. Zijn jullie nog naar Sant'Agata geweest?'
'Nee, ze zeiden dat het gevaarlijk was in de stad.'
'Ach, hoe komen ze erbij. Ik had nog zo gezegd: dat moet je Suzanne laten zien. Het is een prachtig feest. Voor Catanezen is Agata als een familielid.'
Tina was er wél bij geweest. Gisterochtend, toen ze uit de kapel werd gehaald, en gisteravond, toen Agata werd rond-

gedragen. Maar ze had ruzie gekregen met haar vriend. Saro vond het helemaal verkeerd dat vrouwen zich tegenwoordig ook in zo'n wit gewaad hullen. Dat was een mannenzaak.
'Maar oorspronkelijk was het een vrouwenfeest.'

Thuis stelt ze het aan Roberto voor.
'Nooit van mijn levensdagen!!'
'Maar waarom niet?'
'Altijd gezeur met betalen. Ik heb ze een parkeerplaats gegeven, de huur verlaagd en weer komen ze aan het eind van de maand met smoesjes. En nu wil zij de plek van Madu innemen.' Hij kijkt erg boos.
'Scusa, ik kan het niet goed beoordelen.'
'Een keer drongen ze eropaan om een pizza te gaan eten, met Enrico en mij. Iets wat we nooit doen. Na afloop van het eten wilde ik naar huis, ik was moe. Maar zij: nee, we gaan hierheen, we gaan daarheen. Een drankje in een bar, naar een nachtclub om te dansen. We komen thuis en het hele huis ligt ondersteboven. Dat was nooit eerder gebeurd. Ik heb een sterk vermoeden.'
Is dit pathologische achterdocht?
'Ik had geen geld in huis, zo stom ben ik niet. Maar mijn pistool was wel gestolen.'
'Je cobracolt?'
'Ja.'
De beroemde cobracolt waar Roberto haar mee dood zou knallen als ze hem bedroog. Jarenlang was dat een *running gag*. 'Boem!' zei hij dan.
Hij vond het heel vanzelfsprekend om een pistool te hebben, net zoals hij het vanzelfsprekend vond om te dansen. Dat hoorde bij een echte man. En ze betrapte zich erop dat ze het een spannende gedachte vond.
'Toen we in de auto zaten op weg naar de pizzeria ging de telefoon. Buurman Saro antwoordde met eenlettergrepige woorden. Waarschijnlijk deden zijn vrienden verslag terwijl

ze het huis overhoop haalden. Ze zijn door de keuken naar binnen gekomen en die is boven hun appartement. Kom, ik laat het je zien.'

Vanaf het keukenbalkon kijkt ze op een grote binnenplaats. Inderdaad is het heel eenvoudig om langs deze weg naar binnen te klimmen.

Madu rommelt wat rond voor de lunch.

'Jij had ook sterke vermoedens, hè Madu?'

Hij knikt. 'Misschien hadden ze de sleutel.'

Ze kijkt naar het grote terras beneden, met de eettafel onder de parasol, een teil tomaten – voor pastasaus waarschijnlijk – onder een baldakijn van druivenranken. Dat is eigenlijk een veel prettiger plek om te wonen, met die mogelijkheid om voortdurend naar buiten te gaan. Roberto had dat zelf ook bedacht.

'Maar ze gaan niet weg,' zucht hij. 'Mijn telefoon was kapot. De buurman nam hem mee naar een vriend die hem wel zou repareren. Nooit meer teruggezien.'

'Maar dring je daar dan niet op aan?'

'Ja natuurlijk,' zegt hij geïrriteerd. 'Ze zouden deze periode dat jij hier bent tot onze dienst staan, ons begeleiden, afhalen van het station, jou naar het strand brengen. Ik heb geen contact meer opgenomen toen ze weer geen huur betaalden. Vol *salamalecchi*, smoesjes, hypocriete vleierijen.'

Ze vond het leuk als hij dat soort woorden gebruikte, door het Siciliaans uit het Arabisch, Grieks, Spaans of Frans geassimileerde termen, overblijfselen van vroegere overheersers. Soms noemde hij haar *babbalecca*, sukkeltje, van het Arabische '*babus*' en Griekse '*boubalakion*' dat 'slak' betekent. Of *fodda*, gekkertje, van het door de Noormannen meegebrachte Franse '*folle*'. Wil je wat *zibbibbi?* Arabisch voor 'druiven'. Hij had het over het voorbijgaan van de *tiempu* en het waaien van de *vientu*, in vrijwel zuiver Castellaans. Het was of hij er zelf gelaagder en dieper van werd, en daarmee had hij regelmatig een extra kusje verdiend.

'Zij vol salamalecchi?'

'Vooral hij. Het type van een pooier, tot alles in staat.'

'Je bedoelt dat zij iets met jou...'

'Ik heb een tijdje die indruk gehad.'

'...'

'Telkens kwam ze hier alleen, minuscuul gekleed. Het zijn mensen om op afstand te houden.'

'Zij leek me wel aardig.'

'In de ban van die man. Hij loopt parmantig rond te stappen in zijn heilige witte Agatajurk maar ik weet zeker dat daar een mes of een pistool onder zit. Misschien wel míjn pistool.'

'Ik wilde een abonnement nemen op het tijdschrift *Medicina Generica*,' zegt Enrico. 'Ik heb een kaartje ingevuld, maar hoorde niks. Ik heb gebeld. Een vrouwenstem zei dat dat blad niet meer bestond maar wel *Occhio Clinico*. Toen heb ik me daarop geabonneerd. Ze hebben me geaccepteerd als abonnee, maar ik ontving niks. Ben naar het postkantoor gegaan.'

'Waar heeft hij het in vredesnaam over?' zegt Roberto verstoord. 'Allemaal onsamenhangende verhalen.'

'Totaal logisch wat hij zegt.'

'Mah. Hebben we het over serieuze zaken, begint hij over abonnementen. Hij bemoeit zich voor geen cent met alle problemen die ik heb en die hem ook aangaan.'

Enrico staat op. 'Ik ga wat boodschappen doen.'

Roberto kijkt naar haar en zucht.

'Nu gaat hij boodschappen doen. We gaan zo eten. Hij heeft een afspraakje met iemand of zo. Dat baart me zorgen.'

'Maar waarom? Hij mag toch boodschappen doen?'

'Ja, maar dan gaat hij voor het eten weg en komt na het eten terug.'

Als Enrico uit de badkamer komt vraagt ze: 'Eet je niet met ons?'

'Ja,' zegt hij met die lievige, ietwat verlegen lach. 'Ik ben over tien minuten terug.'

'Zoveel gekkigheden. De enige manier is je er niks van aantrekken. Deze problemen van het huis, Madu, de buren, zullen hem een zorg zijn. Hij begint over abonnementen. Waar hij het geld heen stuurt, wat hij doet, ik heb geen idee.'

'Maar je probeert het ook niet te begrijpen.'

Een uitdrukking van vermoeide ergernis.

'Ach, vaak denk ik: ik breng het niet meer op, ik heb geen kracht meer om te vechten. Laat maar allemaal. Ik word steeds ouder, zwakker, steeds meer *rimbambito*. Ik ben een willige prooi. Maar wat gebeurt er met Enrico?'

Roberto dommelt een beetje in.

Enrico is binnen zeer korte tijd terug met tien flessen.

'*Acqua*!' roept ze.

'Waarom moet hij water kopen,' bromt Roberto. 'Madu koopt water, maar dat raakt hij niet aan.'

Enrico glimlacht vriendelijk.

Organische materie

Roberto leunt met één hand op haar bureau, zijn bureau, kijkt somber en rookt een sigaret met de bewegingen van de ervaren roker. Ze heeft hem vrijwel nooit zien roken. Daar moest hij mee stoppen vlak voordat zij elkaar ontmoetten, na een zware operatie.

Enrico komt binnengesloft.

'Wanneer heb je die broek gekocht?' vraagt zijn vader. 'Nieuw?'

'Eén, nee, twee jaar geleden.'

Roberto kijkt. 'Een beetje kort. Je hebt een buik gekregen, daardoor is hij wat kort geworden.'

'*Che bella famiglia*,' zegt ze.

'*Famiglia speranzosa*,' zegt Roberto met een melancholiek lachje.

Madu vraagt of ze pasta met saus of met boter wil.

'Met boter,' zegt Roberto. Hij denkt misschien aan haar opmerking dat Madu elke dag hetzelfde bereidt.

Roberto verdwijnt. Enrico gaat tegenover haar zitten in de luie stoel, bladert in een tijdschrift. Ze ziet het stof bewegen in de baan licht die naar binnen valt. Dan staat hij op, komt naar haar toe en laat een reclame voor kluizen zien. 'Elektronisch of met een sleutel, wat zou het betrouwbaarst zijn?'

'Allebei denk ik, wat je het prettigst vindt. Waar heb je hem voor nodig?'

'Om dingen in op te bergen. Er zijn mensen die mijn spullen aanraken, ernaar kijken. Je voelt je niet veilig.'

Ze worden aan tafel geroepen.

'Enrico overweegt om een kluis te kopen.'

Roberto kijkt sceptisch.

‘Toch niet zo’n gek idee?’

‘Om wat in te doen? Mijn portefeuille?’

Roberto zou zijn zoon serieus moeten nemen. Hij is minder gek dan hij denkt. Met dat wantrouwen maakt hij hem gekker. Dat zal hij ook hebben gedaan met Elio.

‘Ik had een knijper,’ zegt Enrico, ‘met een leeuw, om papieren tussen te doen. Een tamelijk grote. Een keer toen ik thuiskwam was die vervangen door een kleinere.’

Zijn vader bromt: ‘Zie je dat hij niet normaal is.’

‘En een schaartje is ook vervangen door een kleinere. Ik weet niet wie het is geweest.’

‘Ze hebben niks in de andere kamers veranderd?’

‘Weet ik niet, daar heb ik niet zo’n kijk op.’

Roberto staart somber in zijn bord. Van buiten klinkt luid getoeter.

‘Nu hoor je hier nog eens wat,’ zegt Roberto. ‘Vroeger niet. Hier lag sinds klassieke tijden een meer. Eerst is het gedempt door de lava bij de uitbarsting van 1669. Nadat het laatste restje was drooggelegd, heeft mijn vader dit huis laten bouwen. Het was tijden lang het enige en het was omringd door een grote tuin en een boomgaard vol vijgen. De studio was altijd studio, de keuken altijd keuken. De kamer waar ik nu slaap, daar sliepen mijn ouders. Ik sliep in de kamer die nu van Enrico is. Het appartement aan de overkant van de hal was ook een deel van het huis. Daar sliepen mijn zusters. Het personeel woonde beneden.’

Weer begint hij over het veranderde testament en zegt hij dat zijn nichten elke dag een kaarsje zullen opsteken bij de heilige Andrea en bidden om zijn dood.

‘En de accountant van de kliniek heeft twintig jaar pensioenformulieren ingevuld voor al het personeel behalve voor de directeur. Dat was een leuke verrassing. Ik heb niets.’

‘Het probleem is het water,’ zegt Enrico.

Ze kijkt hem vragend aan.

‘Het water uit de kraan is niet gezond.’

'Maar alle mensen in dit huis gebruiken het.'

Enrico sluit even vermoeid zijn ogen.

'Bij honderd graden zijn de bacillen dood,' zegt Roberto.

'Hepatitis c niet.'

Na de *tortellini* wordt er weer sla met tonijn uit blik op tafel gezet. Dan een schaal perziken, waarvan het sap langs Roberto's wangen op zijn hemd en op het tafelkleed druipt.

Enrico zet zich weer voor de televisie, Roberto gaat op bed liggen, Suzanne gaat lezen in de studio.

Als ze even later naar de keuken loopt voor een bekertje water ziet ze door de openstaande deur van Roberto's slaapkamer zijn benen en voeten op het bed. Een paar schoenen en sloffen eronder.

Vroeger lag ze tegen hem aan en wilde niets liever, nu loopt ze door.

En zo slepen de dagen zich voort. Enrico is druk in de weer met zijn huzarensalade en watertoevoer, kijkt televisie en bestudeert allerhande zaken in zijn donkere hol. Roberto tobt over het testament, de monsterlijke nichten, zijn slechte zoon en schoondochter, hoe het moet met Enrico, met Madu, zijn buik en zijn mislukte leven. Af en toe sloffen de mannen naar de open haard om wat naar de televisie te kijken of naar de tafel om voedsel tot zich te nemen dat hun, vermoeden ze, alleen maar kwaad zal doen, en dan sloffen ze weer weg.

Kleine verrassingen doen zich voor. Er komt een andere geur uit de keuken als vooraankondiging van een nieuw gerecht.

Pasta alla Norma, de specialiteit van Catania, genoemd naar de hoofdfiguur van een opera van de Catanese componist Vincenzo Bellini, pasta met tomaten, aubergine en *ricotta salata*, Siciliaanse kaas. Het smaakt heel goed. Ze zegt tegen Roberto dat het haar spijt dat ze zo snel geoordeeld heeft. Hopelijk heeft hij het niet doorgekletst aan Madu.

Enrico eet ook mee. De televisie staat aan, zoals gewoonlijk.

Roberto maakt de fles water open, schenkt haar in, vervolgens zichzelf. Enrico krijgt niks.

Ze pakt de fles.

'Enrico, acqua?'

Hij knikt dankbaar.

Daarna zet Madu een schotel geroosterde sardientjes op tafel.

'Ziet er mooi uit.'

'Vrijdag eten we geen vlees maar vis.'

'In Nederland was dat ook gewoonte, bij de katholieken vooral, maar het slijt.'

'Nederland is toch protestants?'

'Er zijn ook veel katholieken.'

'De protestanten vochten tegen de Spanjaarden,' mompelt Enrico, 'van 1568 tot 1648.'

'Mijn vrouw was erg vroom. Elke zondag zat ze aan de buis gekluisterd om de paus te zien. Ze was dol op hem, zag hem als een vaderfiguur. "O, kijk hoe hij loopt, de arme man, wat laten ze hem allemaal doen." '

Suzanne kwam uit een protestantse familie en was op een plezierige manier met het geloof en de godsdienst opgevoed, waarbij ruimte was voor twijfel, zodat ze nooit de neiging had gevoeld zich ertegen te verzetten. De ingetogen vieringen waar zij aan gewend was stonden in extreem contrast met de uitbundigheid hier op Sicilië. Heiligenverering had ze vroeger ook als afgoderij gezien, maar nu is ze minder streng. Het hangt ervan af hoe je ermee omgaat. Roberto had ze nog nooit op religieus gevoel betrapt. 'We zijn louter organische materie,' zei hij altijd met grote stelligheid. Maar dat verbijsterde hem wel.

Madu zet een schaal fruit op tafel.

Dan koffie voor Enrico en haar.

'Kijk eens, daar heeft Madu ook aan gedacht,' zegt Roberto tevreden.

Er wordt aangebeld.

Roberto luistert door de intercom.

Na een tijdje sloft Enrico in korte broek en hemd naar de deur en ontvangt van een voor haar onzichtbare figuur een mandje met eieren.

'Van de overburen, die lieve meisjes. Een van hen komt regelmatig een beetje babbelen en woensdag haalt ze me op, dan vier ik in de slaapkamer van Sara tussen zeven meisjes de mis.' Hij glimlacht geamuseerd en gaat rusten.

Op het dressoir liggen de bandjes waarnaar ze zouden luisteren. Ze hebben er niet meer aan gedacht. Hij had ze speciaal klaargelegd.

De muziek waar ze op dansten.

Roberto heeft geen kracht maar ook geen zin om naar het strand te gaan, en helemaal niet naar een strand dat hem vreemd is. Ook 's avonds ontbreekt hem de energie om buiten de deur te eten.

Enrico vindt in een restaurant eten te riskant want je weet niet wat je krijgt voorgezet. Zelfs supermarkten zijn niet te vertrouwen, vertelt hij haar. Je moet voortdurend op je hoede blijven. Een product kan je een tijd lang bevallen maar ineens ontdek je dat het je niet goed bekomt. Ziekenhuizen moeten ook blijven draaien en dat gebeurt in subtiele samenwerking met de supermarkten. 'De supermarkt hier om de hoek wordt gecontroleerd door het Garibaldiziekenhuis. Maar koop je in een supermarkt in een andere wijk van de stad, dan weet je dat die wordt gecontroleerd door ziekenhuis Bambino Gesu.' Rijst met margarine lijkt hem op dit moment het veiligst. Boter is niet goed.

De zoete olijven van Sant'Agata

Als Enrico is opgestaan van de ontbijttafel deelt Roberto trots mee dat hij Käthie heeft gebeld om te vragen of zij wil uitzoeken of er plek is in Sant'Elena, de tot hotel omgebouwde Engelse villa in die prachtige baai waar Suzanne zoveel mooie tijden had doorgebracht.

'Hier loopt Enrico ons voortdurend voor de voeten.'

Zij heeft geen last van Enrico zegt ze, maar ze zou graag weer eens in Taormina zijn.

Käthie is een vriendin van Roberto uit oude tijden, en Suzanne mag haar graag. Ooit was ze de koningin van Taormina. Als jonge Duitse schone was ze getrouwd met een Siciliaanse markies, eigenaar van het Isola Bella bij Taormina. Ze hadden dat eiland moeten verlaten vlak voordat Suzanne op het Siciliaanse toneel verscheen. De markies, een citrusfruitmagnaat, was failliet gegaan en naar Londen verhuisd, waar hij zich liet troosten door verschillende jonge dames. Käthie deelde haar leven al heel lang met een toegewijde, veel jongere Amerikaan. Ze was van vertroeteld prinsesje een hardwerkende zakenvrouw geworden en handelde in scheepswrakken. Ze woonde in Rome maar had ook een appartement gekocht in Taormina.

De bel.

Daar is de kapper om Roberto's baard te scheren.

Een jongeman komt opgewekt de kamer binnen en geeft haar een hand. 'Bent u de kleindochter?'

Roberto, die het niet heeft gehoord, gaat in de fauteuil tegenover het bureau zitten.

De man drapeert een doek om Roberto's hals, maakt scheerschuim. Enrico loopt langs en gaat op het balkon staan.

Roberto wijst met een hoofdbeweging naar zijn zoon en bromt: 'Kijk, altijd in de buurt, hij laat je niet met rust.'

'Stoort me helemaal niet,' zegt ze.

De telefoon.

Käthie.

Suzanne weet niet wat ze hoopt.

Twee volle dagen strand lokken haar en ze zou Sant' Elena weer willen zien, Taormina met de vrolijke terrassen, het Griekse theater, ook al zal het haar weemoedig maken. Ze wil niet bij hem in bed, ook niet gewoon naast hem liggen.

En het is onaardig tegenover Enrico om weg te gaan.

Käthie heeft een kamer voor hen besproken in Villa Sant'Elena, vertelt Roberto. Hij vindt dat de buren hen maar moeten brengen ter compensatie van hun wanbetalen. Hij belt Tina, die even later verschijnt in een laag uitgesneden roze jurk.

Tina is zeer tevreden over het initiatief van Roberto en ze zullen hen met plezier brengen.

Roberto gebaart haar te gaan zitten.

'Wat een prachtig paar zijn jullie!' zegt Tina stralend, terwijl ze haar ene glanzend bruine been over het andere slaat.

'Ik ben haar opa geworden.'

'Ik kon hem vroeger niet bijbenen, hij wilde elke avond uit. Hij is een groot rokkenjager en playboy geweest.'

'Dat kun je nog steeds zien. Hoe hij naar je kijkt.'

'Vroeger was het zo,' zegt Roberto en zijn gezicht staat vrolijk, 'dan liep ik over de Via Etnea en hoorde plof, keek om en zag een vrouw op de grond liggen. Ik liep verder, en even later weer: plof. Dat was het effect dat ik had.'

Suzanne wijst op de foto van de vijfentwintigjarige Roberto.

'Ik zou meteen verliefd zijn geworden,' zegt Tina.

'Nu dan niet?' vraagt Roberto met een ernstige uitdrukking.

Tina moet even naar de stad, of Suzanne zin heeft om mee te gaan.

Ze wil erg graag even naar buiten en andere lucht inademen.

Het is warm, de straten zijn leeg.

Ze lopen langs winkels vol zomermode waar ze af en toe voor stilhouden, en langs kerken die allemaal verbonden zijn met de lijdensgeschiedenis van Sant'Agata.

Langs de Sant'Agata van het rooster komen ze, waar de martelplaats nog te zien is waar ze haar op hebben gelegd. Onder aan de trappen die naar de kerk voeren liggen de ruïnes van het Romeinse amfitheater, dat niet veel kleiner was dan het Colosseum en geheel opgetrokken uit lavasteen. Het grootste gedeelte ligt verborgen onder het centrum van de stad, vertelt Tina, en uit dat onderaardse labyrint is ooit een schoolklas die op verkenning ging, nooit meer teruggekeerd.

Op de plek van de kerk stond het paleis van Quinzianus, de Romeinse consul die zijn zinnen op Agata had gezet, een mooi Catanees meisje van goede familie. Maar Agata was net bekeerd tot het christendom en bleef trouw aan haar enige bruidegom, Jezus. Quinzianus probeerde het op alle mogelijke manieren. Ook de pogingen van Afrodisia, een hofdame en concubine, leidden tot niets. Rijkdommen en luxe, de mooiste slaven, de meest verfijnde genietingen van het hofleven, niets kon Agata verleiden.

'Ze liet zich niet kopen,' zegt Tina tevreden.

Na deze verleidingsaanpak ging Quinzianus over tot geweld, hij liet Agata door zijn soldaten in haar gezicht slaan tot haar wangen rood waren als bloed. Ze werd nog meer geslagen, vastgemaakt aan een apparaat dat haar armen en benen uit elkaar trok, maar ze herriep niets. Tot het uiterste getergd gebood Quinzianus haar borsten eraf te snijden.

Tina neemt haar mee naar de kerk iets verderop die rond

de cel is gebouwd waar Agata in werd opgesloten, de Sant' Agata al Carcere. Voor de kerk staat een olijfboom. Die ontsproot op de plek waar Agata haar sandaal vastmaakte. Er groeiden zoete olijven aan.

Ten slotte was Agata gestorven op het rooster boven gloeiende kolen en scherven.

Nu ze toch op weg zijn, vindt Tina dat ze nog even de kathedraal in moeten, naar de kapel waar Agata rust.

Ze wandelen door de brede, autovrije Via Etnea, die glanst van het nieuwe lavaplaveisel. Regelmatig staat Tina stil bij een mode- of schoenenzaak. 'Laat ik me maar beheersen anders krijg ik ruzie met Saro,' zegt Tina. 'Zelf mag hij wel de hele avond in de kroeg hangen met zijn vrienden, alsof dat geen geld kost.'

'Jij kunt toch ook uitgaan?'

'Dat leidt tot scènes. Het is moeilijk om een Siciliaanse man te veranderen. Ze willen bediend en vertroeteld worden. Dat is de Arabische invloed. In de rol van pasja voelen ze zich het best. Roberto is toch ook zo? Hij heeft altijd zijn eigen leven geleid terwijl zijn vrouw thuis zat. Zijn zoon Elio heeft een hekel aan hem omdat hij zijn moeder verdriet deed en omdat hij zijn geld erdoor heeft gejaagd. Het enige wat over is, is dat appartement.'

Ze sombert nog even door over de mentaliteit van de mannen hier. Als ze niet achter de vrouwen aan zitten zijn ze geen echte Siciliaan, maar zodra een vrouw zich met hen verbindt is ze familie en moet de jacht geopend worden op andere vrouwen. Een buitenlandse is het summum, *la straniera*, liefst uit Noord-Europa, een echt statussymbool. Zo kunnen ze alsnog revanche nemen op vroegere overheersers. Het ging hun meer om de verovering, de prestatie, dan om het beminnen. Ook Tina's vader had op een bepaald moment een vriendin, een meid van haar leeftijd. Haar moeder had de kracht om hem de deur uit te zetten. Het gaat best goed met haar moeder. Agata is een grote steun voor haar, een vrouw die geloofde in echte liefde en zich niet liet kopen. 'En nou doet Saro met zijn vriendjes net of het een mannenaangelegenheid is. Ze maken er gewoon een sportwedstrijd van, en een excuus om te drinken. De vrouwen moeten hen toejuichen en lekkere hapjes aandragen.'

Suzanne herkent het domplein nauwelijks, zo mooi is het gerestaureerd.

Ze lopen de schemerige kathedraal binnen, die nog kolossaler is dan ze dacht.

In de zijbeuken glanzen vergulde houten torens, versierd met bloemen, lampjes, engeltjes.

'Dat zijn de *candelore*,' zegt Tina. 'Elk gilde heeft een eigen candelora. Gisteren zijn die door de stad gedragen, straks worden ze weggehaald. We zien ze alleen bij Sant'Agata.'

Er zijn kleine podiumpjes in uitgebeiteld waarop houten figuurtjes scènes uit het leven van de heilige Agata uitbeelden. Het blonde meisje dat een afwerend gebaar maakt naar Quinzianus, Agata in de gevangenis, Agata terwijl een Romeinse soldaat met een grote tang een borst afrukt. Agata met twee ronde bloedrode plekken op de plaats van haar borsten. 'Groenteverkopers' staat er boven op de gouden kandelaber. Boven andere: 'slagers', 'broodbakkers'.

Iets verderop staat de tombe van Vincenzo Bellini, waar een engel zich luisterend overheen buigt om te horen of er misschien nog muziek klinkt. Samen met Roberto was ze naar een uitvoering van *La Norma* geweest in het prachtige Teatro Bellini. De beroemdste aria's had hij ontroerd meegezongen, net als zijn stadgenoten. Tina vertelt dat Bellini's geboortehuis te bezoeken is. Al zijn partituren worden daar bewaard, zijn muziek schalt door de kamers en de met rood fluweel gevoerde en met een harp versierde kist staat er, waarin hij uit Parijs werd overgebracht naar zijn geboortestad toen hij veertig jaar na zijn veel te vroege dood opgegraven was. Daar kun je ook de beeltenis van Sant'Agata zien die hij altijd bij zich droeg.

Ze lopen verder naar voren, naar de kapel van Sant'Agata, terzijde van het koor.

Op de banken ervoor zijn mensen verzonken in gebed. Anderen kijken door de tralies naar binnen, de rijkversierde ruimte in. Maar de grootste schat is verborgen achter een gouden deur waarachter nog zes deuren zitten. Daar, in de diepte, in haar kamertje dat omspoeld wordt door het water van een onderaardse rivier, rust Sant'Agata.

Tina slaat een kruisje en steekt een kaars aan.

'Dit is voor elke Catanees de heiligste plek van de stad. Als je verdriet hebt of blij bent loop je hier even binnen, om haar steun te vragen of haar te danken. Agata betekent meer voor ons dan Maria. Ze is zo dichtbij. Ze is een van ons.'

Hier ging Roberto na de dood van zijn moeder elke dag naar toe, naar deze kapel, om zijn hart uit te storten bij Sant'Agata of gewoon om naar haar lieve gezicht te kijken op de grote foto naast de toegangspoort.

'Je moet het een keer meemaken dat die zeven deuren opengaan. Je moet haar zien.'

Isola Bella

De buren brengen hen met de jeep naar Villa Sant'Elena.

'Het duurste hotel van Taormina,' zegt Saro, die aan het stuur zit. Een stevig gebouwde man van een jaar of veertig met kort zwart haar en een snorretje. 'De professor klaagt dat hij arm is, maar dat valt wel mee.'

'Ik ben geruïneerd,' bromt Roberto.

'Wij weten beter. De professor houdt van dramatiseren. Een vrouw aan uw zijde doet u goed, dat inspireert om het geld te laten rollen.'

Hij vertelt dat een vriend van hem een heel mooi, luxueus restaurant heeft geopend in Piazza Armerina.

'Laten we Suzanne daar een keer mee naar toe nemen.'

Meerdere malen had Suzanne Roberto vroeger voorgesteld de legendarische Romeinse villa van Piazza Armerina te bezoeken, met de mozaïeken van scènes uit de Odyssee en van meisjes in bikini. Toen het voor de zoveelste keer op het laatste moment niet doorging was ze alleen gegaan met een georganiseerde tocht, naar de villa en naar Enna, waar ze de plek had gezien waar Hades Persephone had meegeroofd. Het was een fatale trip geworden, want tijdens die tocht had ze besloten een eind te maken aan hun relatie.

Ze rijden langs de Valle del Bove, waar de zonnegod zijn runderen liet grazen, langs de schitterende, onder bloemen bedolven kust die zo vertrouwd is.

Ze komen langs het Isola Bella, waar Käthie vroeger woonde.

Suzanne was er één keer geweest, kort nadat ze Roberto had ontmoet. Käthie had Roberto en haar uitgenodigd voor een tochtje met haar boot. Toen ze langs het eiland voeren, riep ze: 'Zullen we kijken of we er op kunnen?' Het was enkele jaren nadat haar man Egisto failliet was gegaan en ze het eiland hadden moeten verlaten.

Suzanne ziet het voor zich alsof het gisteren was. Ze dobberden de kleine haven binnen. Voor de deur van een bouwvallig huisje speelden kinderen. Een zwangere vrouw was groente aan het schoonmaken en riep een mannennaam toen ze hen aan zag komen. De bewaker verscheen op de drempel en groette uitbundig toen hij zijn vroegere bazin herkende. Käthie informeerde naar zijn familie. De man was moeilijk te verstaan door zijn Siciliaanse accent. De markiezin vroeg toestemming om een kijkje te nemen in haar vroegere domein. Natuurlijk, natuurlijk mochten ze het eiland op, reageerde hij gegeneerd.

Käthie was hun voorgegaan over de trappen door de mediterrane vegetatie. 'Wat een wildernis,' zei ze. Vroeger waren er iedere dag twee tuinlieden aan het werk om de autochtone en de allochtone planten in een multiculturele symbiose te laten gedijen.

'Dit is een struik uit Oman.'

'Waar je bijna in een harem bent beland,' zei Roberto.

Lachend legde Käthie aan Suzanne uit: 'Daar ben ik ontvoerd op een kameel.'

Ineens had de begeleider van Käthie de kameel de sporen gegeven en was weggestoven. Maar de markies, als Siciliaan ook doorstroomd met Arabisch bloed, trok zijn revolver, schoot een gat in het schip der woestijn en heroverde zijn verse bruid, die hij zelf net aan de Lufthansa had ontstolen. Hij was meteen verliefd geworden op de twintigjarige in haar kwieke stewardesspakje, en had haar meegenomen naar zijn eiland, dat zij al snel als een koningin bestierde.

Ze kwamen op een terras, omzoomd door een rotsachtige muur die was opgetrokken uit natuursteen, net als de trappen en het huis. Alles was ontworpen door haar man.

Roberto duwde tegen de muur terwijl hij naar Käthie

knipoogde. Er bleek een poort te zitten die toegang gaf tot een klein prieel, een ware lusthof vol oosterse, zoetgeurende struiken en kruiden.

'Voor geheime avonturen.'

Kort na hun huwelijk was Egisto begonnen met zijn hofmakerijen aan het adres van telkens nieuwe meisjes. Als zijn echtgenote ook maar naar een andere man keek, leidde dat tot hevige scènes. 'Och, dat is de cultuur,' zei Käthie luchtig toen Suzanne verontwaardigd had gereageerd.

Het weelderige eiland was ook speelterrein voor Egisto's broer Lino, die nooit was getrouwd omdat hij er altijd rekening mee hield dat hij een nog mooiere vrouw zou kunnen ontmoeten.

Een ander stuk muur bleek een ijskast te bevatten. De flessen champagne waren vervangen door woekerende schimmels. Ze waren verder gewandeld, naar het zwembad, verscholen tussen bloemenhagen en palmen. Het was leeg, dorre bladeren bedekten de bodem. 'Kijk, en daar was een waterval die dag en nacht klaterde.' Langs het zwembad stond wat weer, wind en houtworm hadden overgelaten van de ligstoelen.

Tijdens het filmfestival van Taormina, dat ooit belangrijker was dan dat van Venetië, was dit de ontmoetingsplek voor de sterren. Hier had Liz Taylor met haar echtgenoten geminnekoosd. En Roberto met telkens wisselende schonen.

'Je kunt je niet voorstellen wat voor feesten we hier hebben gehad.' Maar dat kon ze wel. Ze zag het zwembad glanzen onder het maanlicht, muziek vermengde zich met het gebruis van de waterval en de champagne. Mooie meisjes lagen uitgestrekt op de ligstoelen. Dartele paartjes schuifelden onder de palmen door de lichte lentenacht.

Was ze er maar bij geweest, dacht ze, met Roberto toen hij nog een en al levenslust was. Maar ze was te laat. Het feest was afgelopen. Er restte slechts melancholie en ze maakte zelfs geen deel uit van de herinnering.

Ze waren verder geklauterd door het afgetakelde lustoord tot ze uitkwamen bij de villa, die gedeeltelijk in de rotsen was uitgehouwen. De deuren waren op slot. Door de ramen keken ze in wijde zalen, waar hier en daar nog meubels stonden, sommige met doeken overdekt.

'Dat zijn de laatste dingen die verkocht moeten worden,' zei Käthie en dwong haar mond in een lach. 'Kom mee, dan laat ik je zien waar we aten.' Met krachtige passen ging ze hun voor naar een veranda. De tafel stond er nog, onder een baldakijn van blauweregen.

'Hier zat Roberto altijd.' Ze liep naar het hoofd van de tafel.

'Tja, wat een tijden, wat een dolce vita,' had hij gemompeld. 'Dan kwam ik na het werk uit Catania met de boot,' hij wees naar de horizon, een gele streep in de late zon, 'en voer ik hier regelrecht de haven binnen.'

Op de top van de berg stond de glazen koepel van de vroegere kasteelheer, met vergezichten over de zee, de golvende kust, de Etna en de Monte Tauro.

'Hier schreef mijn man zijn gedichten, tenminste, dat zei hij.'

De vloer was bedekt met zeventiende-eeuwse Hollandse tegeltjes die hij had gekocht in de Spiegelstraat in Amsterdam. Hij was altijd bezig met de verfraaiing van zijn eiland, zijn schepping.

'Ja, hij was een kunstenaar, geen zakenman,' zei Roberto later.

En nu is die weemoedige wandeling met Käthie en Roberto in haar herinnering veranderd in een idylle. Roberto was misschien niet meer de leeuw die hij vroeger was maar hij danste nog elke nacht.

Kort na Suzannes bezoek aan Isola Bella leerde ze de twee markiezen kennen in Rome, waar ze bij Käthie logeerden. Käthie was bevriend gebleven met haar ex; samen met zijn broer in Londen hingen zij zonder sprookjeseiland en ondanks hun gevorderde leeftijd nog steeds de *latin lovers* uit.

Suzanne zou hen nog regelmatig in Rome in het gezelschap van Käthie ontmoeten. Als een vakman maakte Lino haar dan het hof. Legde een flesje parfum op haar stoel in het restaurant of handschoentjes met strikjes. 'Hij is onverbeterlijk,' had Roberto gebromd.

Käthie vertelde soms over het eiland, dat steeds verder terugviel in zijn oorspronkelijke staat. De vroegere bewaker die Suzanne indertijd had ontmoet, had er lang gebivakkeerd en er mensen tegen hoge prijzen toegelaten om een liefdesnacht door te brengen. Hij was in de gevangenis beland wegens drugshandel.

De exotische planten en bomen gingen dood doordat ze niet meer werden besproeid. Er vielen gaten in het dak, en mensen roofden de Hollandse tegeltjes.

Een paar jaar geleden had Käthie haar gebeld en verteld dat Lino stervende was in een Zwitsers kuuroord. Ze gaf Suzanne zijn nummer en vroeg haar hem te bellen.

Suzanne kreeg hem meteen aan de lijn. '*Cara*, je hebt de zon in je ogen,' zei de stervende playboy. 'Je kunt zien dat je van het leven houdt. Zorg dat je altijd zo blijft.'

Het ging goed met hem. De zustertjes waren lief en hij keek uit op de besneeuwde bergen. Maar daarachter, in de verte, zag hij Isola Bella.

'Ooit zullen we daar weer met ons allen zijn en zal ik je de mooiste plekjes laten zien.'

Kort daarna was hij overleden.

Laatste dans

Als ze arriveren voor de poort van Villa Sant'Elena en Saro door de intercom de naam van Roberto noemt, gaat de slagboom meteen omhoog en rijden ze over die zo bekende oprijlaan naar de ingang van de villa. Roberto neemt afscheid van zijn buren zonder hen uit te nodigen voor een drankje.

Een onbekende jongeman leidt hen naar een riante kamer met twee grote bedden tegen elkaar. Ze pakken hun spullen uit. Het kan haar niet meer schelen dat Roberto in zijn eigen wereld verzonken is.

Ze duwt de glazen deuren open, loopt het balkon op en kijkt naar de baai die ze zo goed kent.

Als hij klaar is met ordenen gaan ze op onderzoek uit.

Ze dalen de trappen af langs vazen met grote boeketten, kleurig keramiek en schilderijen van Siciliaanse en Engelse vergezichten, lopen door zalen met parketvloeren en antieke meubels, de salon waar in de winter werd gedanst, langs het hoekje met de luie stoelen tussen de boekenkasten, het grote door palmen overkoepelde terras met uitzicht over zee op.

Dit was haar huiskamer geweest, jaren lang. Nu is het ook voor haar verleden tijd. Geen enkele ober komt haar bekend voor en geen enkele gast. Ze gaan aan een tafeltje zitten en bestellen een aperitief.

'Je zou in Taormina moeten wonen.'

'Enrico wil niet.'

'Je moet een tactiek bedenken. Neem hem eens een paar dagen mee. Dan ervaart hij de rust hier. En je kunt zeggen dat het gezonder is, zowel voor hem als voor jou. Frisse lucht. Stilte. Bovendien ben je met goed fatsoen van Madu af. Misschien kan Alfio je weer helpen.'

‘Weet je wat het probleem is: Enrico beseft dat mijn vrienden weten dat hij gek is.’

’s Middags laten ze zich door een taxi naar Taormina-boven brengen. Er is geen hoop op verkoeling want de *scirocco* is opgestoken, de hete wind uit Afrika die alles overdekt met een dun laagje Saharazand.

Daar wandelen ze, door de Corso, de autoloze hoofdstraat vol bars, galeries, en luxewinkels met mode, schoenen, tassen, antiek, net als vroeger, maar niet meer stoeiend, dollend, waardoor de mensen zagen dat ze van elkaar hielden en ze het leeftijdsverschil niet gek vonden.

De eigenaresse van de parfumerie komt haar winkel uit om hun handen te drukken. Ze is werkelijk geroerd hen weer te zien, hen weer sámen te zien. Sommige dingen gaan nooit voorbij, denkt ze misschien.

’s Avonds eten ze op het door kaarsen verlichte terras van Sant’Elena, onder de hoge bomen waarin krekels boven de romantische muziek van de pianobar uit proberen te komen, naast hen het maanverlichte strand en de glanzende zee.

Ze was hier gelukkig geweest. En ongelukkig. Ze hield van hem en hij van haar. Ze leefde in het hier en nu, met hart en ziel en zinnen. Alles wat haar grond vormde, waarmee ze was grootgebracht, het Griekse theater, oude kerken, beeldende kunst en geschiedenis, vond ze hier. In andere opzichten was het jetsetbestaan van strand en nachtclubs, motorboten, luchtig vertier, in strijd geweest met alles wat ze kende en had nagestreefd. Maar de ondergrond was dramatisch, dat had ze altijd gevoeld, zoals hun relatie dramatisch was, want onmogelijk. Omdat ze zo aan hem verslingerd was kon hij haar kwetsen zonder het te willen. Dan had ze het gevoel dat ze een vastgelegde rol moest spelen in het leven dat hij al veertig jaar leidde. Nu raakt hij haar niet meer op die manier en dat is tegelijkertijd droef en bevrijdend. Ze voelt geen drang te vechten om zijn aandacht. Ze vindt het wel erg dat hij somber is en ze betreurt het dat ze daar weinig aan kan doen.

Er staat geen *risotto alla zarina* meer op de kaart, risotto met kaviaar, die ze hier vroeger altijd namen, wel *risotto al nero di seppia*, risotto in zwarte inktvisseninkt.

Achter de oleanders ziet ze het huisje met balkon dat ooit speciaal voor Roberto als appartement was ingericht. In de drukste periode van de zomer zaten ze vaak hier omdat Roberto geen zin had om heen en weer te rijden tussen de villa en de zee en ook omdat het hier levendig was en vol zat met artiesten die optraden tijdens het festival. Ze ziet zichzelf daar voor de spiegel staan om zich op te tutten voor een feestdiner en hoe het zweet van haar gezicht bleef druipen. Ook toen woei de scirocco en hield het eiland dagen in zijn gloeiende greep met temperaturen die zelfs 's nachts niet onder de veertig graden daalden.

'Beetje bitter,' zegt Roberto melancholiek, 'dat de dingen niet meer zijn zoals ze waren.'

Dat zei hij twintig jaar geleden ook en daar had ze vaak om gehuild.

'Ook mooi,' zegt hij nadat ze een tijdje zwijgend hebben gegeten. 'Ieder mens heeft seksuele gevoelens, de laagste mensensoort, de dieren. Ze volgen hun driften en instincten, maar dit wat wij hebben is bijzonderder.'

Ze kijkt naar hem. Hij niet naar haar.

'Diepe affectie, van hart en ziel.'

Dan ziet ze even een weemoedige glimlach.

Toe nemen ze granaatappelijs, zoet en bloedrood.

'Ik heb veel fout gedaan, me door instincten laten beheersen. Wat is ervan over? Niks.' Als hij de kracht zou hebben zou hij zich meteen weer in datzelfde leven storten, daar maakt ze zich geen illusies over.

Na het eten gaan ze zitten aan een tafeltje bij de rand van de dansvloer, een gedeelte van het grote terras dat door een bloemenhaag wordt gescheiden van het restaurant.

De pianist speelt '*Mala femmina*', zoals vroeger als ze hier verschenen. 'Slechte vrouw, zoet ben je als suiker, je gezicht dat van een engel, en dat alles om mij te misleiden.' Nadat Roberto dit lied een paar keer als verzoeknummer had laten zingen, zetten de zangers in alle pianobars het in zodra zij binnenstapten.

'Champagne?'

Even later wordt er met een ingetogen knal een fles ontkurkt.

Ze toasten.

'Op ons,' zegt ze, 'op wat is geweest, en op dat we hier weer zijn.'

'En op een mooie toekomst voor jou. En dat je nog eens aan me denkt als ik er niet meer ben.'

De pianist speelt andere favoriete liederen.

'*Balliamo?*' zegt hij, en maakt een uitnodigend gebaar met zijn hand.

Ze dansen, op een langzaam nummer. Ze voelt dat hij broos is, zijn schouders mager, zijn ademhaling zwaar. '*I did it my way. The end is near.*' Ze hadden het Frank Sinatra zelf zien zingen, met zijn laatste krachten tijdens zijn laatste Italiaanse concert.

Ze stelt zich voor hoe zijn dansbewegingen trager worden, zijn armen door de lucht bewegen alsof hij valt in een vertraagde film, hoe hij langzaam oplost. Nog even en hij is weg.

Een snel nummer volgt, waar hij altijd zo van hield, vrolijke, vitale ritmes.

Het kost hem moeite, maar hij danst.

Zoals altijd kijkt hij niet naar haar, maar staart in de verte of naar zijn voeten.

Dan wil hij zitten.

'Even een verkwikkend slokje.'

Nee, geen champagne meer.

Hij strijkt over zijn borst, zijn buik.

'Ik voel me niet goed.'
'Water?'
'Nee, niks.' Hij kijkt lijdend. 'Arme *bambina*, het is voorbij.'
Zijn blik is angstig. Ze heeft medelijden, is bezorgd. Hij stelt zich niet aan.
'Ik moet gaan liggen.'
Ze staan op, lopen de dansvloer over, de salon in. Daar moet hij weer gaan zitten, op een grote sofa. Hij voelt zich beroerd, is lijkbleek.
Hij geeft over. Op de parketvloer.
'Haal iemand,' zegt hij.
Ze rent de trap op naar de receptie. Er komt meteen een oudere moederlijke vrouw in een wit jasschort met haar mee.
'Professore! Ach, u voelt zich niet goed. Rustig maar. Zal ik een dokter halen?'
'Dat is niet nodig,' zegt hij.
Ze brengt hem een glas water.
Wanneer ze even wegloopt om dingen te halen om de vloer mee schoon te maken, drukt Roberto Suzanne een geldbiljet in de hand om straks aan de vrouw te geven.
De vrouw slaat het verontwaardigd af.

Als ze uit de badkamer komt ligt hij op bed, roerloos, op zijn rug.
Ze buigt zich over hem heen om hem een nachtkus te geven.
Ze schrikt.
Zijn gezicht is helemaal veranderd.
Ingevallen. Nog veel ouder.
Op het nachtkastje ziet ze twee rijen tanden.

Ze ontbijten op het terras, waar een waas overheen ligt van Saharazand, onder een grote parasol met uitzicht op de baai.

Aan de blauwe hemel is geen wolkje te zien.

Roberto voelt zich nog steeds zwak, wil alleen maar wat thee en een beschuit, niets uit het mandje waar de aantrekkelijkste broodjes in liggen uitgestald. Ook geen fruit.

'Ik betwijfel of ik wel het kind van mijn vader ben. Hij had een heel ander temperament. Strak, niet hartelijk en royaal zoals ik. Mijn moeder was een zeer exuberante vrouw. Ik weet nog dat mijn vader een keer thuiskwam en zijn hoed op de grond smeet. Mijn moeder was vertrokken met een ander.

Toen ze terugkwam zei ze: "Robertino, ik kon jou niet missen." Heel lang wilde ik haar niet aanraken, zo had ze me gekwetst.'

Hij belt Käthie en nodigt haar uit voor de lunch.

Suzanne daalt af naar het strand.

De badman legt een handdoek over een strandbed en draait dat naar de zon.

Even later voegt Roberto zich bij haar en strekt zich uit op het andere strandbed. Daar liggen ze weer zoals vele lange zomers en kijken uit over de zee. Nu voelt ze zelf de weemoed die hem toen al vergezelde en waar ze vaak zo droef van werd.

'Roberto! Susanna!'

Daar is Käthie, stralend als altijd. Ze moet een jaar of vijfenzestig zijn en ze ziet er nog steeds erg mooi uit. Blonde krullen tot op de schouders, blauwe, zorgvuldig opgemaakte ogen, helderwitte tanden tussen glanzend gestifte lippen. Een gele zomerjurk en een grote strandtas, bestikt met zonnebloemen. Ze gaat zitten op het strandbed dat Roberto voor haar heeft gereserveerd.

Käthie stelt voor Egisto te bellen.

Ze toetst het Londense nummer in met haar fraai verzorgde vingers.

'*Caro*! Ik ben bij Sant'Elena en weet je met wie?'

Hij is blij verrast.

Käthie moet ons allemaal omhelzen namens hem.

'Toen hij dit voorjaar voor het eerst in twintig jaar hier was, heeft hij de hele dag vanaf mijn terras naar zijn Isola Bella zitten staren. Ik heb hem gevraagd het te schilderen. Daar is hij nu voortdurend mee bezig. Hij heeft er al vijf gemaakt.'

Ze lunchen op het grote terras onder het balkon van hun voormalige, tussen palmen verscholen huisje. Käthie, Roberto en zij.

Käthie wijst. 'Dan schreden jullie als filmsterren dat trappetje af om de set te betreden.'

'En jullie keken vol spanning toe om te zien of onze garibaldina weer voor een pittige scène zou zorgen,' zegt Roberto, terwijl hij Suzanne een aaitje geeft over haar wang. Daarna kijkt hij aandachtig naar zijn mooigevormde handen, die vol vlekken zitten.

'Een teken dat het niet goed met me gaat. Soms verdwijnen ze. Had mijn vader ook, hij droeg handschoenen.'

'Dus toch het kind van je vader.'

Hij kijkt ietwat verrast.

'Ja, je hebt gelijk.'

Na de lunch lopen ze over het strand naar Sea Palace, het hotel naast Villa Sant'Elena, waar ze ook kind aan huis waren, logeerden, dineerden, dansten. Hij leunt zwaar op haar arm.

Sea Palace is helemaal veranderd. De bar is met marmer overdekt en je komt binnen door een zuilengalerij. 'De eetzaal is een exacte kopie van de eetzaal van de *Titanic*,' zegt Käthie.

Er werkt niemand meer die ze kennen. De gezellige gerant, die hen met speciale zorg omringde, werkt nu in San Domenico, het tot vijfsterrenhotel omgebouwde oude klooster in Taormina-boven waar ze menigmaal de jaarwisseling hebben gevierd.

'Dan nodig ik jullie uit om vanavond in San Domenico te dineren,' zegt Käthie opgewekt.

Roberto kijkt gepijnigd. 'Jij bent nog een jonge meid, lieve Käthie, bruisend van energie, maar ik ben een oude, uitgeputte man, zwak en ziek. Als ik eerlijk ben zie ik als een berg op tegen nog zo'n avond. Ik verlang naar mijn eigen bed. Het liefst ga ik meteen naar huis.'

Suzanne denkt aan Enrico, alleen in dat sombere palazzo, en voelt de aandrang hem te bellen, zoals Roberto zijn vrouw belde in datzelfde huis.

Als ze terug zijn op hun kamer en Roberto uitgeput op bed ligt, zegt ze: 'We kunnen iets heel eenvoudigs eten, eventueel op de kamer, en vroeg gaan slapen.'

'Ach, wat heeft het voor zin? Het kost kapitalen en het is niet aan mij besteed. Ook jou maak ik alleen maar treurig.'

'Morgen heb je weer nieuwe energie.'

'In deze omgeving besef ik nog meer dat alles voorbij is, dat ik niet meer meedoe.'

Zo kort geleden nog reed hij even op een avond heen en weer om met haar aan zee te dineren en een dansje te maken. Een steek van heimwee schiet door haar heen, heimwee ook naar haar eigen gepassioneerdheid.

Ze bellen Enrico om hun terugkeer aan te kondigen en vragen het hotel een taxi te regelen.

Roberto's schoenen, die naast het bed staan, zijn overdekt met zand uit de Sahara.

De cyclopen

'We kunnen naar Acitrezza gaan,' zegt Enrico als ze zich bij het ontbijt afvragen wat ze met deze dag gaan doen. 'Dat is een mooi plaatsje.'

'Mah,' zucht Roberto, 'in deze hitte.'

'Ik ging er vaak naar toe met mama,' zegt Enrico rustig, 'een ijsje eten of een pizza. *I Malavoglia* speelt er, de beroemde roman van Verga.'

'Waar Visconti een film van heeft gemaakt.'

'*La terra trema*. Ja, allemaal daar gedraaid.'

'Wil ik graag heen.'

Ze is er wel langs gereden en heeft de zwarte rotsen in het water zien liggen die de vertoornde cyclopen Odysseus na hadden gesmeten nadat hij Polyphemus van zijn enige oog had beroofd.

'Gaan jullie dan maar samen,' bromt Roberto.

'We kunnen ook naar Lido Azzurro,' zegt Enrico vriendelijk. 'In de bar een ijsje eten, wie wil zwemmen zwemt.'

Roberto kijkt stug.

'Stelt Enrico eens wat voor.'

'Ik kan hem niet in alles volgen. Hij neemt mensen mee naar huis. Laatst die vrouw die mijn voeten wilde doen, die je vervolgens niet meer kwijtraakt en bij wie je voortdurend op je hoede moet zijn dat ze niks meepikt.'

Suzanne zou graag de cyclopenrotsen zien. Het wil niet tot Roberto doordringen dat dat soort dingen haar interesseren. Bovendien wil ze graag een initiatief van Enrico honoreren. Misschien kunnen ze het combineren met een zwempartijtje.

Ze trekt haar badpak aan onder haar jurk en vraagt een handdoek aan Madu.

Hij geeft haar een flodderig doekje mee.

'Dat had ik nooit gedacht, dat je nog eens een tochtje zou maken met Enrico,' zegt Roberto, die er nu toch de leuke kant van ziet. Zij had dat ook niet gedacht.

Jarenlang hoorde ze over de zwaar gestoorde zoon door wie Roberto's leven zo moeilijk was geworden.

Als ze al op straat zijn ziet ze dat de achterkant van Enrico's jasje onder de vlekken zit. Ze zegt er maar niks van.

Er staat een jerrycan met water voor de stoel waar zij op wil gaan zitten.

'Is dat voor de auto?'

'Nee, om in te koken. Moet ik nog naar boven brengen.' Waarschijnlijk is het water uit de fontein.

'Leuk om weer eens iets anders te doen,' zegt ze als ze wegrijden.

Hij lacht goeiig.

Hij moet tanken en laat meteen de olie controleren, 'om alle risico's te vermijden'.

'Interessant om naar zo'n mythologische plek te gaan. Waar de cyclopen slaags raakten met Odysseus.'

'Dat zijn legendes, die hebben geen concrete, reële grond.'

Een zoon van zijn vader.

'Deze straat is in 1962 aangelegd.'

Ze rijden langs de zee.

'Die legende van de cyclopen is ontstaan doordat er skeletten van dwergolifanten zijn gevonden,' zegt hij dan op droge toon. 'In prehistorische tijden kwamen die hier voor. Het gat waar de slurf zat werd geïnterpreteerd als oogholte.'

'Dat wist ik niet.'

'De olifant is het symbool van Catania.'

In de verte is de ruïne van een middeleeuws kasteel te zien. Daarachter, nog verder, in het blauwe water, de zwarte cyclopenrotsen.

Ze rijden door langs de kust, langs het kasteel, dat vroeger op een eiland lag, vertelt Enrico, maar dat door de lava van de vulkaanuitbarsting van 1669 met het vasteland verbonden is geraakt. Dan slaan ze af en rijden Acitrezza in, een lieflijk plaatsje met kleurige huizen, gesierd door smeedijzeren balkons.

Enrico parkeert de auto.

Zij aan zij wandelen ze door de smalle straatjes. Jarenlang liep Enrico hier zo met zijn moeder terwijl Suzanne bij zijn vader in Taormina was.

Er zijn veel eethuizen, die met hun mooie namen, refererend aan het mythologische verleden of aan de beroemde roman, en met hun garantie dat de vis net uit de zee is geslingerd, de mensen naar binnen proberen te lokken. Er is zelfs een dancing, I Malavoglia.

Ze lopen even de kerk in, waar de zoete geur hangt van zàgara. Mannen zijn bezig de kerk op te sieren met kransen en guirlandes van die witte bloesem, terwijl Maria toekijkt van achter het altaar, een anker in haar hand.

Enrico slaat geen kruisje.

Ze lopen verder, naar de haven, een ronde baai vol veelkleurig beschilderde boten. Hier voeren ze uit, de mannen van de familie Malavoglia, hier stonden de vrouwen op hun terugkeer te wachten, vaak tevergeefs.

Ze knijpt haar ogen dicht om te kunnen zien wat daar in de verte op de rots staat midden in het water. Een vrouw, een beeld van de madonna.

'Die kleuren en figuren op de boten hadden vroeger allemaal betekenis,' vertelt Enrico. 'Ze geven informatie over de familie. Of er bijvoorbeeld huwbare dochters zijn, hoe groot de bruidsschat is.'

Er ligt ook een boot waarmee je een tocht kunt maken naar De grot van Odysseus. De boot heet *La Sirena*.

Enrico stelt voor om een bar in te gaan, Bar Verga, waar hij altijd met zijn moeder kwam. Boven de bar woont de vrouw die een belangrijke rol speelde in *La terra trema*, vertelt hij. Visconti draaide de film, over de uitbuiting van arme vissers, met amateurs uit Acitrezza. De jonge vrouwen die meespeelden konden daarna heel lang geen echtgenoot vinden. Door mee te doen aan die film en zich te vertonen op het festival in Venetië konden ze niet meer beschouwd worden als respectabele vrouwen.

Suzanne neemt een campari, Enrico een koude koffie en een pizza.

'Mis je je moeder?'

Hij knikt.

'Je was meer met haar dan met je vader.'

'Vroeger wel ja.' Hij is even stil en zegt dan: 'Toen we klein waren deed ze veel spelletjes met ons.'

'Dat was dus een mooie tijd.'

'Ja, ze is kleuterjuf geweest. Ze hield van kinderen.'

'Hielden je ouders van elkaar?'

'Mijn moeder wel van hem. Hij was bijna altijd weg. Zullen we weer naar buiten gaan?'

Ze lopen langs het water in de richting van *I cyclopi*, de puntige uit het water stekende zwarte rotsen.

Er zijn wat mensen aan het zwemmen.

'Ik heb ook wel zin me even onder te dompelen.'

Er voert een trap naar beneden, naar de zwarte rotsen die de oever vormen en waar een enkeling op zit te zonnen. Enrico wil eerst boven op een bankje blijven zitten, maar zij nodigt hem uit mee af te dalen. Hij zet zich op een zwarte rots en zal op haar tas passen. Als ze zich heeft uitgekleed klautert ze van steen naar steen in de richting van het water. Soms glibbert ze bijna weg omdat de stenen bedekt zijn met fluwelige wieren. Geleidelijk zakt ze het water in en uiteindelijk verliest ze vaste grond en glijdt ze door het heldere water.

Er zwemmen kleurige visjes om haar heen, een kleine krab klautert een steen op.

Zij zwemt een rondje om de enorme lavablokken en kijkt naar Enrico, die daar roerloos op de rots zit in zijn donkere pak.

Na een tijdje worden de golven hoger. Ze laat zich meewiegen, soms met haar ogen dicht, de zon op haar gezicht. Ooit riepen proefvertalingen op school over de cyclopen in het duffe klaslokaal deze mythische wereld op. Nu zwemt ze ertussen.

De golven worden hoger. Met flinke kracht slaat het water tegen de lavarotsen. Het is moeilijk om weer aan land te komen zonder zich te stoten. Als de golven nog hoger worden komt ze er helemaal niet meer uit.

Ze haalt diep adem; nu, net tussen twee golven in.

Ze stoot zich behoorlijk maar staat weer op de rots. Trillend. Haar armen bloeden een beetje.

Suzanne gaat bij Enrico zitten.

Ze laat haar armen zien.

'Ja, het is hier altijd verraderlijk. Ik vermijd alle risico's.'

'Heb je het niet warm in je pak?'

'Nee, het is goed.'

'Wel erg mooi hier.'

'Deze rotsen zijn de eerste symptomen van vulkanische activiteit,' zegt hij wat eentonig, terwijl hij voor zich uit staart. 'In ongeveer 700.000 voor Christus waren hier onderzeese vulkaanuitbarstingen. Deze rotsen zijn honderdduizenden jaren ouder dan de Etna.'

'Werkelijk?' zegt ze verrast.

Hij lacht verlegen. 'Als je je de tijd van de menselijke evolutie voorstelt als een jaar, komen op 13 juni de eerste bewoners in Europa. Met Kerstmis hebben we de homo sapiens. Vier dagen later de kunst en de dodencultus. Op 31 december om tien uur 's ochtends eindigt het tijdperk van de jacht en gaat de mens zich aan landbouw wijden. Zestig seconden voor middernacht begint de moderne tijd.'

'Dat je dat allemaal weet.'
'Die dingen scheppen orde.'
Ze kijken een tijdje zwijgend uit over de zee.
'Zo'n uitstapje kun je ook wel eens met je vader maken. Hij blijft te veel binnen. Jij ook trouwens.'
'Maar als je je niet goed voelt.'
'Ik zou de Etna graag op willen. Misschien kunnen we met ons drieën. Je vader zei dat de buren wel kunnen rijden.'
'Mijn vader moet geen risico's nemen. Er is een bus die elke ochtend vertrekt van het station.'
'Is je vader erg somber?'
'Hangt van de dag af. De ene dag meer, de andere dag minder. Ik denk dat we moeten gaan. Het is het beste om op een vaste tijd te eten.'
Als ze weer naar huis rijden herinnert ze zich dat de taartjes die Roberto van een voormalig patiënt had gekregen vanochtend niet meer in de ijskast stonden terwijl er gisteren nog een heleboel waren. Zou Madu die hebben meegenomen?
'Er waren dolci.'
'Ja, in de ijskast. Ik heb ze opgegeten.'
'O, heel goed... Je vader zei dat je vaak apart eet. Maar Madu is toch een goede kok?'
'Mmm. Ik voel me al tijden niet lekker. Slechte spijsvertering, maagklachten. Dat moet toch ergens door komen. Eten is fundamenteel. Madu kan ook invloeden ondergaan, net als de supermarkten.'
Ze zijn thuis op het uur van de lunch.
Nadat Suzanne het zout van haar lijf heeft gespoeld gaat ze naast Roberto zitten, die naar het nieuws kijkt. Roberto pakt haar hand. 'Zij heeft een beetje vitaliteit in huis gebracht, hè Enrico?'
Enrico knikt.
Ze eten *pasta al forno*, waar Madu duidelijk zijn best op heeft gedaan.
Er staan grote flessen water op tafel. Wanneer ze Rober-

to inschenkt, staat Enrico op, loopt naar de keuken en komt even later terug met een andere fles.

Als dessert nemen ze de watermeloen die Enrico heeft gekocht. Een kolossale waarvan de helft over is.

Enrico snijdt grote stukken af en deelt die uit met zijn mes waar hij ze aanprikt en afschuift.

Madu brengt twee kopjes koffie. Roberto hoeft niet en gaat op bed liggen.

Enrico en zij lezen allebei de krant. Dan trekt ook Enrico zich terug in zijn eigen domein.

Ze loopt langs de open deur van Roberto's slaapkamer.

'*Piccola*, wat doe je?'

'Even Air Sicilia bellen.'

Hij knikt en wenkt.

Ze staat naast hem en denkt: overmorgen vlieg ik weer weg, terug naar mijn vrijheid, hen laat ik achter in deze grauwe somberte.

Hij trekt zijn hemd omhoog.

Ze streelt zijn borst.

Dit felblauwe shirt staat hem goed, accentueert zijn ogen. Hij krijgt iets van zijn oude schoonheid terug als hij op zijn rug ligt met zijn gebit in. Was het nodig zijn tanden te laten trekken of heeft hij zich fout laten voorlichten, net als bij de verkoop van zijn kliniek? Seks is het belangrijkste, zei hij altijd. Dat is de motor. Ziet ze hem voor het laatst? Zou het hem een injectie van levenslust geven als ze een beetje met hem vrijde? Ze kijkt naar zijn gezicht, zo fel begeerd, bemind ooit, op al die zachte kussens van de mooiste hotels. Nu, op het smoezelige kussen van een ziekenhuisbed, wekt het slechts medelijden op.

Roberto knikt, schuift ietsje op. Ze gaat op de rand van zijn bed zitten en legt het telefoonboek neer.

Ze masseert zijn borst met twee handen, terwijl ze luistert of ze de sluipende pas van Enrico hoort. Ze heeft geen zin om de deur dicht te doen. Dat zou te expliciet zijn.

Roberto maakt zijn broekriem los.

Ze wil niet, maar als ze nu wegloopt is dat misschien de genadeklap. Ze blijft zijn borst strelen, en kijkt dan weer naar de open deur.

Roberto ook. 'Doe maar dicht. Of we laten het zo, misschien moeten we het zo laten.' Even legt ze haar hoofd op de plek van zijn hart.

'Het klopt nog hoor.'

Hij streelt haar over haar schouders, haar hoofd. Ze kust hem op zijn wangen, vluchtig zijn mond.

Dan maakt ze zich los, belt Air Sicilia en bespreekt voor over twee dagen.

Roberto staart bitter voor zich uit.

'Nu jij weggaat blijf ik achter met louter zwarte gedachten. Zonder de zorgen om Enrico zou mijn leven er heel anders uitzien.'

'Ook toen ik je pas kende klaagde je dat je in een hel leefde.'

'Is ook zo. Alles heeft me altijd tegen gezeten. Ik schaam me voor Elio. Na de dood van mijn vrouw was hij na een dag vertrokken. Hij heeft me berispt omdat ik huilde. "Je moet je gevoelens onder controle houden," zei hij. Dat hoort bij zijn ziekte. Hij is *disaffettivo*, voelt niks.'

Enrico stapt binnen.

'Waar was je?' vraagt Roberto.

'Op het balkon.'

'Ik moet de benedenburen het huis uit zetten.'

Hij gooit zijn armen in de lucht. 'Deze gedachten moet ik niet hebben op mijn leeftijd. Ik heb overal genoeg van.'

Ze staat op.

'Wat ga je doen?'

'Asbak leeggooien.' Roberto heeft weer een paar sigaretten gerookt.

Ze moet even weg. Lucht. Wat een drama's. Maar ze wordt er zo moe van, weet niet wat ze eraan kan doen. Niks, vreest ze. Geen ruzie vlak voordat ze vertrekt.

Als ze terugkomt en weer bij hem gaat zitten, zegt ze: 'Zullen we morgen naar de Etna?'

'*Bambina mia*, ik heb de kracht niet.'

Dan maar alleen. In dit huis blijven heeft geen zin.

IJs, vuur, ijs

Daar gaat ze, eindelijk die berg op. De Etna, zij die de kusten verandert, ophaalbruggen overbodig maakt, grote architecten nieuwe kansen geeft. Vredig en mooi, gezellig bijna met die wuivende rookpluim, maar ook onvoorspelbaar explosief, met alleen, soms, respect voor de sluier van Sant'Agata. De afgelopen twintig jaar heeft ze het er vaak over gehad met Roberto, om samen die vulkaan op te gaan, en telkens ging het op het laatste moment niet door omdat hij er geen zin in had, toch liever de vertrouwde wegen bewandelde naar zijn stranden en danslokalen. Ze had zich vijftien jaar geleden losgescheurd, wilde niet eeuwig rond blijven draaien in diezelfde dans zoals het danseresje onder de stolp, terwijl de tijd verder tikte. Ze heeft geleerd haar eigen plan te trekken.

De bus slingert de stad uit, door bossen, door kleine dorpjes, langs olijfgaarden en wijngaarden, langs bomen beladen met vijgen en citroenen.

Omhoog rijden ze, de berg op van drieëndertighonderd meter hoog, naar de werkplaats van Vulcanus, over wie ze al hoorde op school. Hephaestos, de zoon van Zeus en Hera, die de hemel uit werd gegooid en op Sicilië belandde, dat aan de ene kant niet onderdeed voor de plek waar hij vandaan kwam, overvloeiend van nectar, ambrozijn en schoonheid, maar waar hij ook de kruitdamp leerde kennen en het harde metaal. De grote kunstenaar en wapensmid van de goden. Zo vaak zag ze hem bezig uit de verte, zag ze de vonken uit de vulkaan slaan, rode rivieren naar beneden stromen, hoorde ze zijn hamer dreunen op het aambeeld.

De eerste keer dat Roberto haar met de auto van Catania

naar Taormina vervoerde, walmde de zwavellucht de open ramen binnen. Hij was eraan gewend, al die extreme dingen waren voor hem gewoon en daardoor groeide zijn charisma. Hij knipperde niet met zijn ogen wanneer de ruiten in zijn palazzo rinkelden als de Etna actief was. Hij keek niet op van een moord. 'Dat gebeurt nu eenmaal.'

De bus stopt in het dorp waar de vuurwerkspecialisten wonen die ze aan het werk hoorde voor het feest van Sant'Agata. Het vak wordt overgeleverd van vader op zoon. Als er geen feesten zijn verdienen ze als brandweerman hun geld. Soms moeten ze in actie komen als de vulkaan in volle eruptie is om met explosieven lavastromen om te leiden.

Iedereen stapt uit. Over een kwartier zal de bus de reis hervatten.

Ze praat met een oudere man. Hij werkt in een restaurant iets hoger.

'Kom een keer eten. Het is een schitterende gelegenheid, helemaal nieuw. Een paar jaar geleden is het verwoest door de uitbarsting maar nu is alles mooier dan ooit. En het eten is heel goed, bereid uit louter producten van de berg.'

'Durft u dat wel, op diezelfde plek?'

Hij lacht. 'Natuurlijk. Vrijwel altijd weet je van tevoren dat de berg kuren krijgt en kun je je uit de voeten maken. Huizen en restaurants bouw je weer op. Dat gebeurt voortdurend. Aardbevingen, uitbarstingen, ik heb het al zo vaak beleefd.' Hij maakt een laconiek armgebaar. 'Alles is stuk en even later weer als nieuw. Alleen die zwarte regen is vervelend. Je kunt de deur niet uit. Het gaat in je kleren zitten, in je haren. Je kunt de was niet buiten hangen; wegen en stoepen liggen vol as. De luchthaven gaat dicht. Maar voor het land is het goed. Nergens brengt de aarde zulke lekkere dingen voort als hier. Je proeft het vuur. In de wijn, de honing, het fruit.'

De stoep is nu niet bestrooid met as maar met platgetrapte vijgen die overrijp van de takken zijn gevallen.

Ze rijden door, verder omhoog. De stad komt steeds dieper onder hen te liggen en geleidelijk wordt de aarde kaal, bomen en struiken verdwijnen. Alleen nog wat kleine rode bloemetjes groeien er, als voorlopers van het vuur.

De grond wordt zwarter en ten slotte is er zelfs geen rood bloemetje meer dat het probeert. Langs een enorme kuil rijden ze, waar brokken lava uitgehouwen worden om mee te bouwen. Uit zulke vierkante stukken lava is het Romeinse theater in Catania opgetrokken.

Er staan grote hekken op enige afstand van de weg. Op borden is geschreven: '*Zona pericolosa, vietato al pubblico*'. 'Gevaarlijk gebied. Verboden voor publiek'. Het geeft een tintelend gevoel, ze wordt steeds wakkerder door het besef van de kolossale krachten die hier op de loer liggen. Metalen netten zijn gespannen tegen vallende brokken lava.

Ze rijden over een onlangs aangelegde weg. De vorige is uitgewist bij de laatste explosie. Er staan ook huisjes op de zwarte vlakte, net gebouwd. Achter muren langs de weg, opgetrokken uit zwarte blokken, liggen kolossale bergen door bulldozers opzijgeschoven lava, erbovenop een nieuwe observatietoren omdat de vorige verzwolgen is.

Een liefdesverklaring met grote letters in de gestolde as. 'Agata vurig bemin ik je!'

Verwoeste hotels worden herbouwd. Van sommige hotels komt het dak nog boven de zwarte vlakte uit en op allerlei plekken steken geknakte buizen uit de grond.

En dan kan de bus niet verder.

Op een groot en gloednieuw parkeerterrein stappen ze uit tussen bars en souvenirwinkels.

Dit is de laatste plek waar ze kunnen eten en drinken, verder naar boven is er niets meer behalve sneeuw en vuur. Ze bestelt koffie en een broodje en kijkt naar de flesjes *Fuoco dell'Etna*, vuur van de Etna, die stoer in het gelid staan boven de bar, een roodgekleurd drankje dat tachtig procent alcohol bevat. Ook in de souvenirwinkels wordt het massaal aangeboden naast honing uit Zafferana, marmelade van Etnafruit, asbakjes, schaaltjes, T-shirts, petjes.

Wekenlang sliepen ze in de auto, vertelt de vrouw van de winkel. Ze vroegen om de sluier van Sant'Agata, die al eerder de lava had tegengehouden, maar de bisschop gaf geen toestemming. 'Hij zei dat het bijgeloof was, maar nu ben ik wel mijn huis kwijt. Nou ja, het nieuwe wordt mooier dan het vorige.'

Een kabelbaan brengt haar verder omhoog.

Ze stapt de ronde glazen cabine in en stijgt op in die bel boven een gitzwarte wereld. De bellen zijn nieuw want de vorige kabelbaan heeft de laatste uitbarsting ook niet overleefd.

Even later staat ze met haar voeten op de zwarte grond. De meeste mensen maken een kleine wandeling maar het is ook mogelijk naar de hoogste krater te gaan. Dat is een zware tocht, een stevige klim- en daalpartij van zo'n zeven uur.

Nu of nooit.

Ze gaat naar de blokhut, waar ze haar witte sportsokken geven, bergschoenen en een jack. Ze waarschuwen haar dat het zwaar zal worden, maar dat schrikt haar geenszins af, integendeel.

Hier is het warm maar boven zal het ijskoud zijn.

En daar gaan ze, een stuk of tien mensen, onder wie een stel stoere types die duidelijk vaker bergen beklimmen. Een jongeman die in de winter skileraar is begeleidt hen. Ze lopen achter elkaar over een smal zwart pad door een zwart landschap van heuvels en dalen.

In de diepte en steeds dieper ligt Catania.

Het tempo zit er flink in.

Het zwarte heuvellandschap gaat over in een koolzwarte en eindeloos lijkende woestijn, even verder is het of beeldhouwers monumentale sculpturen hebben gecreëerd, zo wonderbaarlijk zijn de vormen. Hier werd een stuk van *Starwars* gefilmd en hier reed de maanrobot als voorbereiding op zijn reis door het heelal en zijn trip over dat prachtige hemellichaam dat onze nachten verlicht.

Het is of ze op de maan zijn, en je aan het eind van de kale zwarte vlakte zo het heelal in valt of de hemel in loopt.

De maanrobot reed op een plek waar vroeger water was. Waar ze nu lopen klotste de voor-Etneïsche baai. Zoals onder Roberto's huis eerst een meer lag en later een lavavlakte. Alles één voortdurende verandering, net als zijzelf.

Ze lopen en lopen. De zon wordt krachtiger maar de lucht kouder. Ze trekt haar jack aan.

Aardtrillingen hadden de vorige uitbarsting al vijftien dagen van tevoren aangekondigd, vertelt de gids. 'Maar er zijn altijd mensen die zich er niks van aantrekken of die het niet geloven. Het zijn vooral toeristen die ten prooi vallen, verrast worden door een lavastroom, een krater in tuimelen of geraakt worden door een rondvliegend brok lava. 'De mensen van hier kennen de onverbiddelijkheid van de Etna, en respecteren haar.'

Ze komen langs oude kraters die niet meer actief zijn. In de verte, maar op loopafstand, hangt een rooksliert tegen de strakblauwe lucht. De hoogste van de vijf kraters. Ook uit kleine gaten komt hete stoom.

De zwarte grond raakt geleidelijk bedekt met witte vlekken sneeuw.

De gids haalt met zijn schoen de sneeuw weg zodat de zwarte as zichtbaar wordt, hij wroet verder en brengt van onder die zwarte laag opnieuw een witte aan het licht. Dat is de sneeuw van vorig jaar. Door de as is die geïsoleerd geraakt. Zo liggen er vele lagen op elkaar, ijs op vuur, en vuur op ijs.

Het wordt koud. De lucht wordt ijler. Af en toe zien ze een gloeiende mond waar stoom uit komt en waar je je midden in de sneeuw flink aan kunt branden.

Hier had Roberto zijn vrouw ontmoet tijdens een skitocht met een groep vrienden. Samen met haar was hij de vulkaan af geskied en vervolgens hadden ze in de zee gezwommen. Hij herhaalde vaak dat die skitocht hem fataal geworden was. Ze hadden gelachen omdat ze zo vaak vielen, en dat schiep een illusie van intimiteit. Zij kwam uit het noorden van Italië, waar de zeden wat lichter waren, en het was gemakkelijk haar te veroveren, maar liefde was het niet. Hij was achttien, zij drieëntwintig. Vlak voordat hij naar de oorlog moest, stond ze ineens voor zijn neus met haar ouders, en in een soort verdoofde toestand was hij het huwelijk in gesleept. Aan het front had hij nooit een levensteken van zijn verse bruid ontvangen.

De gids wijst naar een heuvel in de verte met een klein gebouwtje erop. '*La torre del filosofo.*' De toren van de filosoof. Dat was de plek waar Empedocles in 432 voor Christus de krater in sprong om te bewijzen dat hij tot de goden behoorde en dus in de hemel was opgenomen. Maar hij werd verraden door zijn bronzen sandaal die door de vulkaan werd uitgespuugd. De oerstof van de wereld was volgens Empedocles niet het vuur, niet het water, niet de aarde, niet de lucht, maar de menging van deze vier. En die elementen bestonden uit oneindig kleine deeltjes die zich verenigden en uiteenvielen onder invloed van liefde en haat. Soms zijn de elementen volledig vermengd door liefde. Door haat worden ze geleidelijk weer gescheiden, om vervolgens door liefde weer verenigd te worden. Ook de mens was uit diezelfde elementen opgebouwd.

Na uren lopen naderen ze de top, de sneeuw is gesmolten, de geel en groen gekleurde zwavelaarde is warm, op sommige plekken gloeiend.

Rookwolken stijgen op. Ze kunnen elkaar nauwelijks meer zien in de naar rotte eieren stinkende mist. Eerst werd de adem afgesneden door de kou, nu door hete zwavel.

Mensen gaan zitten om hun billen te warmen. Suzanne gaat ook zitten en legt haar handen op de hete grond. Dan mogen ze een voor een de aarde in kijken.

'Voorzichtig!' roept de gids als ze dicht bij de rand is en zich vooroverbuigt.

Ze staat in de dampen, in de hete adem van de aarde. Dof gerommel klinkt dreunend uit de diepte. Af en toe ziet ze donkere brokken omhoogkomen in de mist en dan weer terugvallen.

Daar is een god aan het werk.

Sicilië had dan wel niet deelgenomen aan de geschiedenis, maar hier leefde je in de eeuwige wereld van mythen en goden.

De gids gebiedt haar terug te komen. Er kan een stuk van de rand afbreken, zegt hij.

Ze draait zich om en kijkt, naar de Valle del Bove, naar Taormina in de verte, met de witte stranden, en onder haar, in de diepte, Catania. Daar leidde Roberto zijn leven, tussen de elementen, in liefde en in haat. Een oerleven vol uitersten waar zij een tijd in opgenomen was. Sterke prikkels had ze nodig om zich levend te voelen, om te voorkomen dat ze met afstand naar de dingen keek en naar zichzelf. Die had ze hier gevonden. In dit land en ook in hem.

Nadat iedereen voldoende de aarde in heeft gegluurd, en er zachte zwavelklompen, die in hun handen stollen tot stenige spons, zijn losgemaakt als souvenir, beginnen ze aan de afdaling, die zwaarder is dan de klim, vooral de stukken door dikke lagen lavapoeder.

De gids doet het voor.

De hakken in de as en telkens een stukje doorglijden. Bijna als skiën.

'Laat je gaan!'

En daar gaan ze, ze roetsjen de zwarte helling af, de as stuift op.

Een gitzwart spoor trekken ze door het donkergrijze lavapoeder.

Ze voelt dat ze niet na moet denken, zich gewoon moet laten gaan, dansend roetsjen door de as. Haar wangen gloeien.

Soms stoppen ze even om hun schoenen uit te doen en de as eruit te schudden. Haar witte sokken zijn zwart.

Daar gaan ze weer, ze stromen de berg af.

Ze skiet door de zwarte as zoals Roberto vroeger door de witte sneeuw.

Roberto is blij haar ongedeerd terug te zien keren en hij vindt het fijn dat ze een mooie dag heeft gehad, dat haar droom in vervulling is gegaan.

Hij heeft niets bijzonders meegemaakt. Madu heeft pasta met tomatensaus bereid vanmiddag. Ze zal wel honger hebben zegt hij bezorgd. Aanvankelijk was hij van plan haar mee te nemen naar een restaurant, maar eerlijk gezegd is hij te zwak. En hij heeft weinig eetlust.

Ze voelt ergernis en medelijden. Zij heeft het vuur gezien dat laait in de aarde, onder onze voeten, het ijs, de hemel; hij heeft wat rondgesloft in het stoffige huis.

'Zal ik een salade maken?'

Roberto kijkt kinderlijk blij. 'Dat lijkt me een goed idee. Bespreek het maar met Enrico.'

Enrico vindt het ook goed. Hij zal aardappelen koken.

Ze vraagt hem waar hij zijn boodschappen doet. Hij biedt niet aan haar te vergezellen dus ze gaat alleen.

Even later loopt ze door de Catanese straten met een tas vol groente en een andere met olie, azijn, mozzarella. Ze denkt aan de zalige schotels die haar in de loop der jaren zijn voorgezet. Heerlijk toebereide vis, de meest verfijnde pasta's en risotto's, de onovertroffen salades van Alfio. Toen was het vanzelfsprekend, maar ze beseft nu dat Roberto haar erg heeft verwend. Ze vindt het fijn om zo'n gebaar te kunnen maken.

'Een echt moedertje,' zegt Roberto tevreden als ze de tassen vol boodschappen in de keuken heeft gezet en bij hem komt zitten in de studio. Het hoogste compliment.

'Heb je het hier wel goed gehad? Natuurlijk niet de luxe van destijds.'

‘Heel goed.’
‘Maar je bekritiseert me ook.’
‘Ik word er wel eens moe van dat je alles van de zwarte kant ziet.’

Ze staat samen met Enrico in de keuken. Hij schilt en kookt aardappelen, zij maakt de salade. Nee, er is geen slabak. Dan maar in een pan.
Ook geen slacouvert.
Ze haalt andere borden te voorschijn, mooiere dan ze gewoonlijk gebruiken. Die vond Madu kennelijk niet interessant genoeg om mee te nemen.
Ze zet de pan op tafel.
‘Veel te veel,’ bromt Roberto en begint meteen te eten zonder te wachten tot Enrico aan tafel zit.
‘Zullen we de wijn opmaken?’
Enrico, die net wilde gaan zitten, loopt naar de keuken en komt terug met de halfvolle fles en plastic bekertjes.
‘Waarom geen glazen?’ vraagt Roberto.
‘Deze zijn er nu eenmaal.’
Het smaakt hem wel.
‘De aardappelen zijn ook lekker maar er moet wel iets mee gebeuren,’ zegt ze. ‘Wat boter of kaas.’ In haar hoofd hoort ze de Etna nadreunen, ziet ze de enorme brokken opdoemen uit de diepte.
‘Margarine is veiliger,’ zegt Enrico, ‘of olie.’
‘Als jij hier woonde zou alles opgelost zijn.’
Enrico eet ook met smaak van de salade.
‘Wie weet.’
‘Wat?’
‘Of ik mijn leven met jou eindig. Het midden en het eind. Zou jij dat goed vinden, Enrico?’ Vroeger noemde hij dat midden al het eind.

Roberto zit in zijn pyjama naast zijn bed en staart voor zich uit.

'Waar denk je aan?'

'Aan de transformatie van Sea Palace. Ik zou me niet meer thuis voelen in die rare Titanic.'

Hij kijkt naar zijn handen.

'Kun je me een slaappil en een glas water geven? Je was mijn slavin en dat ben je nog steeds. Ik heb speciaal een zweep gekocht maar niet gebruikt. Dat was niet nodig.'

Ze brengt hem de pil en het water.

'Zet het glas daar.'

Ze doet wat hij zegt.

'Sneller.'

Ze speelt de rol.

'Geef me mijn pillendoosje. Kom naast me zitten.'

Ze neemt plaats op het kinderstoeltje.

'Streel mijn hand.'

Ze streelt de donkere vlekken.

'Intenser. Goed zo. Mooie slavin. Ik hou je.'

'En als ik niet meer beval verkoop je me op de markt.' Daar dreigde hij vroeger mee. Als Sicilië onafhankelijk zou zijn dan was hij koning en alle vrouwen slavinnen die je naar believen kon kopen en verkopen op de markt.

'Nee, ik verkoop je niet, ik geef je slaag. Vandaag was het niet nodig. Je hebt me zelfs te eten gegeven. Was smakelijk. Als het niet goed was geweest had je klappen gekregen.'

Hij zucht. 'Ach, *Gesù bambino*.' Hij vouwt zijn handen en slaat de blik ten hemel.

'Je mag iets voor jezelf doen, je hebt me genoeg gezelschap gehouden. Ik besef hoe zwaar het voor je is.'

Ze gaat afruimen.

Enrico kijkt naar een film op de buis. Het geluid davert door de kamers. Als ze langsloopt ziet ze een deinende vrouwenkont in een minuscuul broekje. Vervolgens een automobilist die daarnaar kijkt en tegen een andere auto op knalt.

‘Als de film afgelopen is gaan we afwassen,’ zegt hij.
Ze trekt zich nog even terug in de studio.
Als ze even later samen in de keuken aan het redderen zijn komt Roberto vragen of er een vrucht is.
Ze schilt een perzik en voert hem die.
‘Wat ga je doen morgen? Het huis uit, net nu je het hebt gevonden.’

Familietje

De wekker redt haar.

Ze is met een gondel gearriveerd en staat nu boven op een ladder die leunt tegen de vloer van een bovenverdieping. Er is een feest en ze wil de welkomstspeech beluisteren, maar de verdieping waar die speech wordt gehouden is vol. Er kan geen mens meer bij, anders zakt hij door. Zij is de bovenste op de trap. Onder haar zijn anderen.

'Nee, je kunt niet terug. We willen allemaal die speech over Brodski horen.'

Ze houdt haar adem in. Slechts vijf centimeter. Als er iemand onder haar beweegt valt de ladder om.

De heren zitten zwijgend op een stoel in de salon.

'Daar is onze *stella*,' zegt Roberto.

Hij was vanaf halfzes wakker. Daarna had hij wat gedommeld in een stoel.

'En jij, lekker geslapen? Gedroomd?'

Ze is verrast. Vroeger had ze hem wel dromen verteld, maar op echte interesse had ze hem nooit betrapt.

Ze vertelt de droom.

'Venetiaanse herinneringen dus.' En daar blijft de analyse bij.

'Lijkt me wat simpel.'

'Ik begrijp het wel *bambina*, maar het is pijnlijk. Je moet weg, naar zekerder grond onder je voeten.' Hij is even stil en voegt dan toe: 'En poëtischer.'

Vroeger was het ook vaak voorgekomen dat ze dacht: ik moet onmiddellijk weg bij deze botterik, wat zie ik in die vent, en dat hij haar dan ineens verraste met een rake opmerking, een gevoelig gebaar. Hij deed zich vaak slechter voor dan hij was.

Als ze aan het ontbijt zitten gaat de telefoon.

Madu neemt op.

'Die signora.'

Roberto reageert zwaar geïrriteerd.

'Enrico, ga jij maar.'

Enrico sjokt naar de telefoon. 'We hebben bezoek. In de loop van de dag, ja, ik weet niet.' Hij is vriendelijk, komt terug naar de tafel. 'Ze wil met jou praten.'

Roberto slaat zich van ergernis op de knieën. Hij is kortaf: 'Nee, we hebben gasten, voorlopig niet.'

Hij gaat weer aan tafel zitten. 'Ze zegt dat ze op bezoek komt omdat ze wil weten hoe het met ons gaat maar ze wil geld. Voor haar zieke moeder en tien euro voor de benzine.'

Deze vrouw had een keer opgebeld met de mededeling dat ze oude mensen hielp, maar ze bleek alleen maar uit op geld.

'Zoveel mensen hebben zich hier allervriendelijkst aangediend die me uiteindelijk alleen maar beroven. Zelfs mijn ex-verpleger, Fausto. "Professore, kan ik iets voor u doen?" Dan ging hij dingen kopen en gaf het wisselgeld niet terug, dingen waar we geen behoefte aan hadden. Ik zei: "Breng maar weer naar de winkel."'

'Wat voor dingen dan?'

'Handdoeken, servies, schalen.'

'Hij wilde het gezellig maken.'

'Gezellig wordt het toch niet. En kritiek op Madu de hele tijd. Ze willen allemaal zijn plaats inpikken. Ik heb hem duidelijk gemaakt dat het niet kon.'

Na een korte stilte zegt hij: 'De week is omgevlogen.'

'Maar we hebben veel meegemaakt.'

'Ja, we kunnen goed samenwonen.'

Enrico zal haar begeleiden naar het reisbureau waar ze

haar ticket gaat ophalen. Roberto wil geld geven, maar dat slaat ze af. Ze wil het zelf betalen.

De stad is weer een beetje volgestroomd. In en om Catania is alles te vinden om de zomer te vieren, zee en bergen, kunst, spektakel en prachtige dancings onder de palmen. Barokconcerten in de kerken, balletvoorstellingen op de pleinen, internationale sterren in het Griekse theater van Taormina, eindeloze terrassen om te tafelen tot diep in de nacht.

'Jullie moeten echt vaker de deur uit,' zegt ze als Enrico de auto weer voor het huis parkeert. Ze blijft nog even zitten, wederom met een jerrycan vol water bij haar voeten. 'Het is niet gezond altijd maar binnen te blijven.'

'Soms voel ik spontaan de behoefte de deur uit te gaan. Dan ga ik een beetje naar het verkeer kijken. Dat leidt me af.'

Ze kijkt hem aandachtig aan.

'Het probleem is wel dat, als ik soms terugkom nadat ik een tijdje weg ben geweest, er van alles veranderd is. Punten van pennen die eerst goed schreven doen het daarna niet meer, paperclips zijn vervangen door andere. Kleren gescheurd. Deze sandalen bijvoorbeeld.'

'Wat is daarmee?'

'Die zijn kapotgemaakt.'

'Door wie?'

'Dat weet ik niet. Er is iemand binnengedrongen. Soms struikel ik erover.'

Ze zegt niets.

Haar mobieltje.

De stem van Roberto: 'Waar blijven jullie?'

'We staan voor de deur.'

Enrico maakt geen aanstalten en gaat door met zijn uiteenzettingen.

Roberto roept vanaf het balkon en vraagt wat ze daar doen.

Als ze boven zijn vraagt Roberto aan Enrico pillen voor zijn hart te halen.

Ze geeft Roberto *Risvegli* van Oliver Sachs, een collega van hem, over hoe hij mensen die in een coma verkeren terughaalt in het leven. Hopelijk zal het hem boeien, maar misschien vindt hij het baarlijke onzin.

Hij kan het niet meer goed zien, zegt hij. Een leesbril en lamp zijn niet genoeg, hij moet zich laten opereren aan staar.

Hij zit tegenover haar in een stoel. Vanochtend heeft hij niks gedaan.

'Een lief gebaar, *piccola*. Je hoopt mij uit mijn coma te halen, maar ik vrees dat die onomkeerbaar is.'

In het begin van hun relatie wilde ze praten over zijn beroep, ze was er nieuwsgierig naar, vond het zo moeilijk te rijmen met zijn playboyleven. Hij ging daar nauwelijks op in, na zijn werk met psychiatrische patiënten thuis en in de kliniek wilde hij luchtigheid en vertier. Eerst dacht ze dat dat oppervlakkigheid van hem was, of botheid. Ze dacht dat hij alles oploste met pillen.

Natuurlijk werd er ook gepraat, zei hij. Maar bij de echt ernstige gevallen helpt dat niet. Praten hielp alleen bij mensen die met afstand naar zichzelf konden kijken en zelfs dan was het niet genoeg. Een werkelijke depressie of psychotische toestand was alleen aan te pakken met medicijnen. Vaak had hij zich opgewonden over de waanideeën van Basaglia, die alle deuren van psychiatrische inrichtingen wilde openzetten omdat de psychiatrische patiënt niet bestond volgens hem, de maatschappij was ziek. Zijn zoon Elio zat ook op dat levensgevaarlijke dwaalspoor.

Suzanne had een keer een paar dagen in de kliniek doorgebracht toen ze hoge koorts had. Hij was altijd bezorgd en attent als haar iets mankeerde. De sfeer was er goed. Roberto ging vriendschappelijk om met de artsen en het verplegend personeel, maakte grapjes met de patiënten. Ze was onder de indruk toen ze hem door de gangen zag lopen, zijn staf om zich heen. Ze zag dat iedereen erg op hem was gesteld.

Madu vertelt dat de lunch klaar is.

Spaghetti met boter en kaas. Eenvoudig maar smakelijk. Daarna aardappelkroketten en salade.

Lange tijd eten ze zwijgend.

'Hopelijk kom je gauw terug. We hebben een vrouw nodig hier in huis.'

Enrico sluit af en toe vermoeid zijn ogen. Omdat ze zich te veel tot Roberto richt?

'Het was mooi, je verblijf hier. Ik had niet gedacht dat het er nog van zou komen. Je kamer was al maanden klaar. Het is omgevlogen.'

'De herinneringen blijven.'

'Hopelijk meer dan dat. Was dit een voorproefje.'

Ze heeft haar koffer gepakt en gaat nog even bij Roberto zitten in de studio.

Hij kijkt haar melancholiek aan.

'Ik heb een dom leven geleid. Wat heb ik bereikt? Ja, ze groeten me overal, het is "professore" voor en na. Maar wat betekent dat? Ik was royaal, vandaar dat geknik en gebuig. Ik ben bang om helemaal invalide te worden. Ik had dat pistool als bescherming.'

'De volgende keer gaan we samen een pistool kopen,' zegt ze opgewekt.

'Misschien kun je het me cadeau doen.'

Ze vertelt over het elegante damespistooltje dat ze heeft gezien op een tentoonstelling in Venetië. Het kon opgeborgen worden tussen dijbeen en jarretel.

'Mijn vrouw zou het goed hebben gevonden, jouw verblijf hier.'

Suzanne is beduusd.

'Al veertig jaar hadden we geen lichamelijke relatie meer.'

'Toch heel lief en knap van haar om dit te accepteren, jouw verhouding met mij.'

'Ja, ze wilde dat ik gelukkig was. Ze heeft al je foto's in een boekje gedaan.'

Er wordt aangebeld.

Het is de chauffeur die hen naar het vliegveld zal brengen.

Madu draagt haar koffer naar beneden. Ze drukt hem de hand en bedankt hem voor de goede zorgen. Enrico en Roberto begeleiden haar.

Op het vliegveld is zij het die zegt: 'Ga maar rustig naar huis.'

Maar Roberto wil wachten.

Vroeger wilde hij tot haar verdriet altijd eerder weg. Ze is hem wel eens achternagerend, terug door de controlepoort, om hem nogmaals te omhelzen.

Hij stelt voor een espresso te drinken in de bar, en daarna gaan ze zitten, op een rijtje, in de grote hal, zij tussen de mannen in.

'Weet je,' zegt Roberto, 'ik had het gevoel dat ik geen familie had. Nu, na jouw verblijf hier, heb ik dat wel.'

'Ik ben een dochter.'

'Of een echtgenote. Vraag of Enrico dat gevoel ook heeft.'

Ze vraagt of hij ook het gevoel heeft dat ze als familietje hebben samengewoond.

Hij knikt met een lachje.

'Beloof me dat je gauw terugkomt,' zegt Roberto.

'Ik kom terug.'

Het symbool van Sicilië, een driehoek met drie rennende benen, staat op het vliegtuig afgebeeld.

Ze kijken haar na tot het eind. Roberto lijkt nog brozer naast Enrico.

Februari

Kruitdamp en gebrande suiker

Op straat ruikt het naar kruitdamp en gebrande suiker.

Het eerste vuurwerk is al afgestoken, overal staan kraampjes met zoet snoep. Etalages puilen uit van blanke marsepeinen borsten met een rode gekonfijte kers erop.

Het lavaplaveisel glanst in de winterzon en de Via Etnea loopt als een lange zwarte heerbaan van de met sneeuw bedekte vulkaan het hart van de stad in, dat onstuimig klopt. De zwarte as die de hele stad overdekt, is in de goten geveegd. De sliert rook die uit de krater komt, is donker en dik. Al een maand daalt er een voortdurende regen van Etnagruis neer op de wegen, de huizen, de was en de mensen.

Het plein voor de dom is een grote feestzaal geworden, roodfluwelen doeken met gouden A's en gouden olifanten sieren de barokke gevels.

Oorverdovend geknal.

Kleurige zuurtjes verschijnen aan de blauwe lucht en worden even later opgeslokt door bruine wolken.

Nooit eerder zag Suzanne vuurwerk op klaarlichte dag.

Opnieuw klinkt er geknetter, alsof ze aan het front is. Vlammen branden aan de ochtendhemel, bruinige wolken verduisteren de zon, die daarna langzaam weer opgloeit als een donkere koperen bol.

Het plein is vol. Veel mannen zijn gehuld in dat lange witte gewaad, de sacco, met een wit koord om het middel, witte handschoenen aan en een zwartfluwelen petje op het hoofd.

Sommige mensen hebben paraplu's bij zich tegen de neerdwarrelende as, die niet alleen in je haren en kleren kruipt maar ook in je ogen prikt. Het vliegtuig dat haar gisteren terugbracht naar Sicilië, had drie uur moeten rondcirkelen voordat er genoeg zicht was om te landen. Sinds een maand had de Etna er een krater bij. Van de Torre del filosofo, de plek waar Empedocles' sandaal werd uitgespuugd, is geen spoor meer te bekennen.

Boven de mensenmenigte zweven dolfijnen, konijnen, dalmatiërs, en hoog boven de olifant van lavasteen met de obelisk op zijn rug die midden op het plein staat, kiest Calimero het luchtruim. Het kindje dat het touw heeft laten schieten, kijkt hem huilend na. Zijn vader wijst hem op een nieuwe bos ballonnen, met nog meer Calimero's, Mickey Mouses en Donald Ducks.

Trompetgeschal.

Herauten in kleurige kostuums bereiden de weg voor fleurig opgetuigde schimmels die een koets de poort van het stadhuis uit trekken waarin de burgemeester van achter het raampje zit te zwaaien.

Hij gaat naar de aartsbisschop in de Sant'Agata della fornace, de kerk van het rooster.

'Je kunt beter hier wachten,' zegt een vrouw tegen Suzanne. 'Ze komen zo terug. Hier kun je het het beste zien.'

'Wat kun je zien?'

'Het offeren van de kaarsen. De burgemeester komt zo terug met de aartsbisschop.'

Ze schrikt op van gejoel, gefluit, getoeter. Ze draait zich om en ziet een candelora aankomen, gedragen door mannen met zakken over hun hoofd en schouders. Ze huppelen op een wonderlijke manier waardoor de gouden toren zich schommelend voortbeweegt. Het ding wordt neergezet. Even later klinkt een hoog fluitje. Meteen tillen de mannen de kandelaar weer op de schouders en huppelen in stevig tempo en onder luid gejoel van de menigte de kerk in, waar de candelora bij de andere wordt neergezet. 'Visverkopers' staat erboven. De mannen vegen het zweet van hun gezicht en halen een pakket onder het gouden gevaarte vandaan waar broodjes in blijken te zitten. Suzanne raakt aan de praat met een van de sjouwers. Hij is helemaal geen visverkoper, geen van hen is dat. Hij is uitsmijter bij de beroemde en beruchte dancing Banacher, waar altijd mannen met pistolen bij de ingang staan. Ze worden ingehuurd als drager en verdienen er zo een aardig duitje bij.

Ze loopt verder naar voren, naar de kapel van Agata. Er staan grote boeketten voor het traliehek. Ze kijkt naar binnen, de versierde ruimte in. Morgen gaan die zeven deuren open. Dan zal de zo innig beminde Catanese heilige zich mengen onder haar stadgenoten.

Morgenochtend tijdens de *Messa dell'aurora* is het zover.

Dat is het mooiste moment van het jaar, daar is iedereen het over eens. Als je het goed wilde zien moest je hier om vier uur 's ochtends zijn.

Ze loopt de kerk uit.

De zon staat hoog aan de hemel en er klinkt uitbundige muziek. Door de Via Etnea nadert de veelkleurige stoet. Er klinken bekende nummers. 'I Saraceni, I Saraceni!' Geknal van vuurwerk af en toe. De witte schimmels zijn politiepaarden en blijven onverschrokken.

Maltezer ridders in lange capes schrijden statig voort, gevolgd door middeleeuwse pages met trommels en trompetten, vendelzwaaiers, de *Circolo di Sant'Agata*. Er worden grote foto's omhooggehouden van het blanke emaillen gezichtje van de heilige met daaronder de tekst 'De ziel van de stad'. De verschillende gezelschappen dragen manden vol kaarsen die allemaal de dom in worden gebracht en neergezet op het altaar.

Later zullen ze worden verdeeld over alle kerken van Catania.

Daar komt de burgemeester aangeschreden, met de Italiaanse vlag om zijn buik, omringd door gemeenteraadsleden en verdere hofhouding. Fotografen schieten naar voren.

Rumoer vlak achter haar: 'In jullie midden bevinden zich mensen die een belediging zijn voor het christendom!' Een oudere, robuuste man schreeuwt zo hard als hij kan. Nog een keer brult hij: 'In jullie midden bevinden zich mensen die een belediging zijn voor het christendom!' Een jonge man slaat hem vriendelijk op zijn schouder. De burgemeester geeft geen krimp. '*Il pesce puzza dalla testa!*' schreeuwt hij nog terwijl de politici bijna voorbij zijn. 'De vis stinkt het meest bij de kop!'

Dan wordt hij overstemd door het vuurwerk.

Weer raakt de zon verduisterd.

Ze zou willen blijven, maar Roberto en Enrico rekenen op haar met de lunch. Vanavond komt ze hoe dan ook terug voor het concert en het grote vuurwerk. Nu al zijn de mannen die van de Etna zijn afgedaald dat aan het voorbereiden. Achter de stenen omheining voor de dom waar beelden van apostelen op staan, zijn ze bezig met cilinders, draden en apparaten met knoppen. Het grote beeld *Het Geloof*, een vrouw met een kruis in haar hand, is omcirkeld door staven buskruit.

De wachtkamer

'We werden al ongerust,' zegt Roberto als hij de deur opendoet.

'Het was geweldig, jammer dat jullie niet mee waren.'

'Die drukte, ik moet er niet aan denken.'

Hij gaat meteen weer in een luie stoel zitten. Het journaal staat aan. 'We zullen het wel zien op de televisie.'

'Wat een bijzonder feest.'

'Ik kom de deur niet uit, kan niet meer lopen. Ik voel me volledig buitengesloten. Het is alsof er een gordijn tussen mij en de wereld hangt.'

Suzanne had bij haar terugkeer in één oogopslag gezien dat de lading medicijnen op de tafel in Roberto's kamer nog imposanter en gevarieerder was dan bij haar vorige bezoek. Er stonden nog meer potten zalf, er lag een rij klysmaspuiten en de zuurstoffles was groter. De ijskast was volgestouwd met bakken huzarensalade.

'Een paar dagen geleden belde Ettore Musomeci; vroeg of ik bij hem kwam eten. Die nacht had ik van mijn vrouw gedroomd. Ik dacht: zij houdt me vanuit de hemel in de gaten, stuurt vrienden op me af. Maar ik had geen zin en geen kracht om de deur uit te gaan.'

Over de hemel had ze hem nog nooit horen praten. 'Stof zijn we,' zei hij altijd, '*polvere*.'

'Je kon hem toch uitnodigen?'

'Hier is de sfeer zo triest en luguber dat ze snel weer de benen nemen. Enrico komt er meteen bij zitten. Hij volgt me als een schaduw. Ik heb alle interesse verloren. Dit is het voorportaal. Ik ben in de wachtkamer voor de laatste reis. Soms, als ik me slecht voel, denk ik: daar is de trein.'

Madu komt vertellen dat het eten klaar is.
Roberto staat op en loopt naar de tafel. Hij is nog magerder geworden en loopt krommer.
Zij gaat Enrico halen, die in zijn kamer zit.
'Enrico eet niks meer van Madu.'
Madu zet tortellini op tafel met de bekende saus.
Enrico gaat naar de keuken en komt terug met een pakje huzarensalade en casinobrood van de supermarkt.
'Madu moet weg,' zegt Roberto met volle mond. 'Die denkt ook alleen maar aan zichzelf en zijn gewin. Ik heb geen macht meer over hem. Hij is de baas. Hij bepaalt wat hier gebeurt, wanneer hij komt en gaat. Soms zeg ik: "daar is de deur, ga maar voorgoed." Hij reageert niet, trekt zich er niks van aan. Tina heeft ontdekt dat Madu steelt. Ze heeft de bonnen nagekeken. Zeventig procent van wat erop stond was niet in huis.'
'Heb je er wat van gezegd?'
'Natuurlijk, maar hij ontkent en gaat er gewoon mee door.'
'Ik had Madu allang vervangen door Tina.'
Madu brengt een schaal geroosterde visjes, *triglie*.
Even trekt er een tevreden uitdrukking over Roberto's gezicht.
Ze smaken goed.
'Mah, die graten, vis kan ik ook niet meer eten,' bromt hij na een tijdje.
Roberto dringt erop aan dat zij nog een visje neemt.
'Gisteren spartelde het nog rond,' zegt hij. 'Wat een wetten heeft de Eeuwige Vader toch gecreëerd dat het ene dier bestaat door het andere op te eten. Als je die films ziet op tv. Een leeuw die een antilope verscheurt. Wij zijn net zo. Erger.'
Hij kijkt bitter.
'Kortgeleden belde Elio. Hij zei: "Ik heb een bevriende advocaat die de huizenkwestie kan regelen." "Dan regelt hij

het zoals jij het wilt," zei ik. Daar zit dus ook geen schot in. Dit huis moet verkocht en verdeeld worden zodat we een appartementje kunnen kopen voor Enrico en dan kan ik naar een huis voor oude mensen. Maar dat wil Elio niet, die wil het hele huis inpikken na mijn dood.'

'Dat geloof ik niet. Je denkt te negatief over hem. Hij zal heus wel voor zijn broer zorgen.'

'Nee, dat zal hij niet. Door zijn ziekte is hij een monster geworden. Volstrekt niet in staat gevoelens te koesteren. *Bambina mia*, dit is een sterf- annex gekkenhuis. Ik weet dat je een groot offer brengt. Je bent lief, dat zag ik meteen, bij onze eerste ontmoeting. Daarom heb ik alle vrouwen de laan uit gestuurd.' Even ziet ze die ironische fonkeling in zijn ogen, terwijl hij vervolgt: 'Ze sputterden tegen, dat begrijp je. Je weet hoe onweerstaanbaar ik ben.' Hij zucht. 'Het spijt me, je zult jezelf moeten vermaken, ik ben te zwak. Ik zal de buren bellen om te vragen of ze je kunnen begeleiden met de auto als je ergens heen wilt. Ik heb ze er nog niet uitgegooid omdat jij kwam, zodat ze je kunnen vergezellen. Ze betalen nog steeds niet.'

'Ik heb geen begeleiding nodig, wil Sant'Agata volgen. Ik ga er een artikel over schrijven.'

'Zij kennen de weg.'

'Ik kan de weg zelf vinden.'

'Enrico, jij kunt misschien mee.'

'Ik voel me niet goed,' zegt hij treurig. 'En die drukte. De stad is vies, je kunt nergens je auto kwijt.'

'Die optocht was imposant. Vanavond is er een concert op de Piazza del Duomo en vuurwerk.'

'Ik zie het liever op de televisie. Het is een commercieel gebeuren geworden. Alles draait om geld. Er moeten zoveel mogelijk kaarsen worden verkocht, en nu hebben ze ook die ballonnen bedacht die nergens mee te maken hebben.'

Roberto gaat rusten, Enrico moet naar de apotheek en zij trekt zich terug in de studio met de krant. De hele voorpagina is ingenomen door een foto van de candelore en een bijbehorend artikel over hun oorsprong. Al in de Romeinse tijd werden er in de maand februari grote brandende kaarsen geofferd aan de goden van de onderwereld, wat de zielen van de overledenen verlichting bracht. In diezelfde maand vierden de Romeinen de Lupercalia, uitbundige vruchtbaarheidsriten. Daarbij werden lichtprocessies gehouden, net zoals ter ere van de godin Isis en Ceres, die hier erg populair waren. De candelore hebben zich ontwikkeld uit die allereerste kaarsen.

Nooit heeft Roberto over dit grote feest verteld. Vaak hadden ze ruzie gemaakt als ze zei dat ze meer van Sicilië wilde zien dan de luxelokalen van Taormina. Maar ze paste zich aan, danste en dronk champagne onder de sterren. Al die avonden, jarenlang, zijn vervluchtigd tot één dans, al die champagne weggestroomd met luchtbellen en al.

Ze wil naar buiten. Nu past ze zich niet meer aan, wil ze geen tijd verliezen.

Voorzichtig duwt ze de deur van zijn kamer open.

Hij zit in de fauteuil naast zijn bed somber voor zich uit te kijken.

Suzanne vraagt zich af wie die lading medicijnen bestiert. Roberto, Madu? Zou Enrico daar ook een greep uit doen?

'*Bambina.*'

'Ik ga de stad in.'

'Ach nee, met die drukte.'

'Het is zo interessant, dit feest.'

'Een volksfeest.'

'Met heel oude wortels.'

'Op de televisie zie je het beter.'

'Het is anders als je er middenin bent.'

'Ik denk erover de dokter te bellen.'

'Waarom?'

'Ik kan al dagen niet naar de wc. Het is of mijn hele ingewand verlamd is. Of er zit een obstakel. Misschien moet ik geopereerd. Maar met die feestdagen vind je niemand in de ziekenhuizen, dat is de ellende. Misschien ben je bij mijn einde. Dat zou erg voor je zijn maar ook mooi.'

'Zo urgent is het toch niet? Een halfjaar geleden had je dit probleem ook al.'

Enrico komt binnen met een blad waar drie kopjes koffie op staan.

'Toen eens in de twintig dagen. Nu elke twee, drie dagen. Nou ja, dan moet Madu me maar weer een klysma geven. *Bambina*, het spijt me. Misschien had je beter niet kunnen komen. Wat moet jij nou deze dagen?'

'Bij jullie zijn en ik zei toch dat ik dit feest wil meemaken.'

'Ja, dat heb je je in je hoofd gehaald.'

'Ik vind het bijzonder en wil erover schrijven. Ook een manier om de stad verder te verkennen.'

Ze complimenteert Enrico met de koffie.

'Ja, deze is goed. Je weet het nooit. Als ik de deur uit ben kunnen ze binnendringen, spullen weghalen, ze ruilen voor andere. Daarom zit ik altijd in spanning. De koffie en de rijst bewaar ik in de klerenkast met de deur op slot. Toch weet je het nooit.'

Roberto kijkt gepijnigd naar Enrico.

'Zie je wat voor rare praat. Als ik er niet meer ben wat moet er dan van hem worden? Daar lig ik van wakker.'

Ze kijkt naar Enrico, die geen spier vertrekt.

'Het komt heus wel goed met hem. Ik zal hem wel een beetje in de gaten houden.' Ze lacht naar Enrico.

Roberto kijkt haar blij aan. 'Dat zou erg fijn zijn.'

De zware deur slaat achter haar dicht, en licht wandelt ze door de straten, langs etalages met kleurige elegante mode of met witte pijen. Overal ligt donkergrijs gruis. De avond begint te vallen. Ze loopt langs de kerk van het rooster en de kerk van de kerker. Op de plek waar de heilige opgesloten is geweest, wordt een blok lava bewaard met haar voetafdrukken.

Langs het Romeinse amfitheater, in de diepte. Ze kijkt naar beneden, naar de imposante overblijfselen. Leeuwengebrul klonk daar en bloed van wilde beesten en mensen lekte in de arena, het Latijnse woord voor 'zand'.

Drama's, laag op laag.

Langs het beeld van Bellini loopt ze, die hoog op zijn zuil, op notenbalken, tussen de hoofdfiguren van zijn opera's zit uit te kijken over het drukke plein met de palmen en al die mensen die in opwinding zijn vanwege zijn dierbare Agata.

Ze blijft staan en kijkt verbaasd naar de autoloze en feestelijk verlichte Via Etnea. Het glanzend zwarte plaveisel is bedekt met zand, de loper van lava veranderd in strand. De mensen bewegen zich allemaal richting domplein, ook de verrijdbare rekken met kolossale kaarsen, ballonnen, sjaals en petjes van voetbalclub Catania worden die kant op geduwd.

Een groep jonge mensen in het wit ziet haar verbazing.

'Vanwaar dat zand?' vraagt ze.

'Tegen het kaarsvet. Anders gebeuren er ongelukken.'

'Die gebeuren toch wel,' zegt een ander.

Ze neemt een aperitief bij Caprice, een mooie, grote, ouderwetse bar met kroonluchters, muren vol schilderijen en vitrines vol minstens zo kleurige heerlijkheden. Ze gaat aan een tafeltje zitten, bestelt een camparisoda en wat hapjes.

Heel lang geleden had ze hier haar eerste *granita* gegeten met Roberto, fijngestampt ijs met citroen en heel veel suiker. Ze had gehuild, ze weet niet meer waarom, en toen had een van de obers zwijgend een amandelkoek voor haar neergelegd.

Bijna twintig jaar geleden. Ze was er nooit meer geweest.

De bar wemelt van de mensen in het wit.

Ze rekent af, gaat de deur uit en loopt naar het domplein iets verderop. Het plein lijkt een balzaal. De barokke paleizen zijn feestelijk verlicht, de roodfluwelen doeken met de gouden A's glanzen in het licht van de lantaarns. Mensen stromen toe, op het plein, achter de ramen. Ook de smeedijzeren balkons vullen zich met belangstellenden. Op het balkon van het gemeentehuis, het Palazzo degli Elefanti, is de burgemeester verschenen met de in het rood gestoken aartsbisschop. Boven de hoofden van de mensen prijken de stenen olifant, katten, dolfijnen, dalmatiërs en Donald Ducks.

Daar weer boven de serene maan.

Af en toe klinkt een toon van het symfonieorkest, dat op het podium is geïnstalleerd naast de olifant. Overal staan mannen in mooie uniformen met petten op het hoofd, een pistool op de heup. Ook een twintigtal ambulances staat paraat.

Op de klokkentoren gaat de wijzer naar de acht.

'*Viva* Sant'Agata!!' brullen de mensen.

De spanning is te voelen.

Dan schiet een komeet van de klokkentoren naar de top van de kathedraal, waar ineens heel groot de naam AGATA brandt in rood vuur.

Iedereen juicht.

Een rij van enorme witte fonteinen spuit omhoog langs de hele voorgevel van de kerk.

Hoog in de lucht klinkt een knal en een regen van gouden vonken daalt neer.

Het orkest begint te spelen.

Bij elk beroemd stuk uit een opera zingen de mensen hartstochtelijk mee. Agata, Norma, de nimf Etna, ze horen allemaal tot dezelfde familie.

Intussen werken de vuurwerkspecialisten aan het volgende wonder.

Suzanne denkt aan die twee mannen in het sombere huis.

De dom neemt alle kleuren aan. Het geknal vormt een organisch onderdeel van de opzwepende muziek. Er schieten groene stralen omhoog, die aan de toppen exploderen in rood uitwaaierende sterren, als razendsnel ontspruitende bloemen. Dan schieten blauwe stelen op met roze bloemen, rode met witte, gele met paarse. Net zo snel als ze ontsproten zijn vallen ze uit elkaar en zijn ze verdwenen. Voor haar gevoel is het pas geleden dat ze het vuurwerk van de Etna zag vanaf het terras in Taormina, die oudejaarsavond die ze vierde met Roberto twintig jaar geleden toen hij het centrum van haar universum was. De moderne tijd bestaat nog maar zestig seconden, leerde Enrico haar.

Dan valt een doek van gouden sterren.

Tromgeroffel, paukenslagen.

Het wordt stil.

Rookwolken verduisteren de maan.

Ze loopt naar huis door de nog feestelijk verlichte straten en werpt weer een blik op de ruïnes van het Romeinse theater onder haar. Ze denkt aan de schoolklas die daarin verdween. Drama op drama, bloed op bloed, feest op feest.

Enrico doet open.

'Papa ligt in bed.'

In Roberto's kamer is het schemerdonker. Het zachte geputtel klinkt van het zuurstofapparaat. Hij haalt de slang uit zijn neus.

'Ik was ongerust.'

'Hoeft niet.'

'Hoe was het?'

'Geweldig. Jammer dat je er niet bij was. Heb je het op televisie gezien?'

'Nee.'

'Waarom niet?'

'Ik heb wel wat anders aan mijn hoofd.'

'Dit brengt je op andere gedachten.'

'Ik ben stervende.'

'Dat ben je zolang ik je ken. Ik ben het ook.'

'Binnenkort zul je het begrijpen.'
'Mooie muziek kan troosten.'
'Niks kan mij troosten.'
'Sant'Agata misschien.'
'Tja.'
'Morgen sta ik heel vroeg op om op tijd voor de Messa dell'aurora te zijn.'
'Hoe vroeg?'
'Vier uur.'
'Ben je helemaal gek geworden?'
'Ik wil het meemaken.'
'Onverantwoord, alleen door het donker.'
'Het was heel druk op straat. Morgenochtend zal dat ook zo zijn.'
Ze wenst hem een goede nacht en geeft hem een kus op zijn wang.
'Ik zal Sant'Agata de groeten doen.'

Messa dell'aurora

Om kwart voor vier gaat de wekker. Als tot haar doordringt wat er op het programma staat springt ze uit bed en gaat onder de douche. De handdoeken ruiken muf en zijn groezelig.

Ze spuit een beetje Sicilia op van Dolce e Gabbana en gaat de deur uit.

De straten zijn leeg en donker.

Op de met zand en zaagsel overdekte Via Etnea is nog geen leven te bekennen, op een enkeling in een lang wit kleed na, met wie er meteen een verstandhouding is omdat ze een gemeenschappelijk avontuur gaan beleven. Doordat de gewaden op toga's lijken is het gemakkelijk je terug te wanen in de Romeinse tijd, de tijd van Agata.

Er is niets te horen, geen auto's, geen stemmen. Maar deze stilte zal van korte duur zijn, straks zal het hier exploderen.

Uit de bars komt de geur van koffie en amandelen.

Ze gaat naar binnen bij Caprice.

Staand aan de bar drinkt ze een cappuccino en eet een zoete croissant.

Dan loopt ze de deur uit, het plein op naar de dom. Voor de poort staat al een groep mensen, de meesten in het wit.

Rustig wachten ze. Een jongen streelt met zijn witte handschoen het lange zwarte haar van zijn vriendin. Boven hen aan de zwarte hemel stralen de sterren. Precies om zes uur zal de deur opengaan.

Het is halfvijf.

'Wat is iedereen rustig,' merkt Suzanne op tegen niemand in het bijzonder.

'Dat is de invloed van Agata,' zegt een oudere in het wit gehulde heer die voor haar staat.

'En van de slaap,' mompelt een jongeman.

'Dit is het mooiste feest dat er voor een mens bestaat,' zegt de oudere man. 'Ik prijs me gelukkig dat ik Catanees ben.' Hij wuift met een wit doekje dat hij in zijn gehandschoende hand houdt.

'Dit is het dierbaarste wat ik bezit, met dit doekje heb ik het gezicht van Sant'Agata aangeraakt.' Weer zwaait hij met het doekje en kijkt ernaar, vol vertedering.

'Mooi, al dat wit.'

'De puurheid van Sant'Agata.' Hij tikt even tegen zijn fluwelen mutsje. 'Dit heeft de kleur van as. Van de rouw.'

Hij is hier elk jaar als eerste. Straks gaat hij achter haar aan als ze de buitenronde maakt, de tocht door de buurten die iets minder centraal liggen.

'Maar morgen is het mooiste, als ze de binnenronde doet. De *Salita di San Giuliano* moet je meemaken. En dan het zingen van de nonnen. Eén keer per jaar komen ze naar buiten, midden in de nacht om te zingen voor Sant'Agata.'

Geleidelijk groeit het aantal wachtenden, steeds meer mensen stromen toe. Opvallend veel jongemannen, met zwarte haren en zwarte ogen, gehuld in wit. Er wordt niet geduwd en geen lawaai gemaakt.

Maar de spanning en opwinding nemen toe.

Er klinkt geluid van metaal aan de andere kant van de deur.

De sloten worden ontgrendeld.

Iedereen kijkt geconcentreerd naar de deur.

Langzaam gaat hij open.

En dan storten de mensen zich naar binnen.

Iedereen rent zo hard hij kan.

Suzanne rent vanzelf mee.

Dit heeft ze nog nooit meegemaakt, een sprintje trekken door een kathedraal. Ze is er volstrekt door verrast. De mensen roepen uit volle borst: 'Agata! Agata!'

Ze gaat op een van de voorste banken zitten. Hier heeft ze goed uitzicht op het altaar en op de kapel waar Agata straks uit komt.

Ze kijkt om, mensen blijven binnenstormen, een dolfijn zweeft boven de grijze mutsjes. De mensen joelen, roepen: 'Agata, viva Sant'Agata!'

Er gaan mensen voor haar staan, binnen de kortste keren is elke vierkante centimeter van de kathedraal volgepakt. Ze kan niks meer zien. Een oude dame wringt zich naast haar.

'Je moet straks op de bank gaan staan,' zegt ze.

Boven het rumoer uit hoort ze de klokken beieren.

Het orgel speelt.

'Heb je haar nog nooit gezien?' zegt de oude vrouw verbaasd. 'O, ze is zo lief. Ze is zo goed. Ze heeft mijn been genezen.'

Ze veegt een traan weg.

De mensen beginnen te zingen. Het lied van Sant'Agata.

De aartsbisschop neemt het woord, houdt een korte preek. Over de zuiverheid van de heilige, haar naam die 'Goedheid' betekent. Het grote voorbeeld dat Sant'Agata ons geeft.

'We moeten liefhebben zoals Sant'Agata dat gedaan heeft en solidair zijn met de mensen die het moeilijk hebben. Catania is een van de meest criminele steden van Italië, maar met haar hulp zal dat veranderen. We moeten niet neerkijken op mensen die fouten hebben gemaakt, in de gevangenis hebben gezeten, maar hen vergeven, opnemen en helpen bij een nieuw leven.'

Aan het eind van zijn verhaal zwelt het geroezemoes aan. Er wordt gesproken over reinheid en puurheid en intussen zindert en broeit het onder de menigte. Veel mensen praten door hun telefoon en niemand vindt dat vreemd. Het is te vroeg om Roberto te bellen.

'Ze heeft ook de lava van de Etna tegengehouden met haar sluier,' zegt de vrouw.

De aartsbisschop begeeft zich met de grote sleutelbos in zijn hand naar de kapel, gevolgd door priesters en hoogwaardigheidsbekleders.

De mensen joelen. '*Cittadini*! Cittadini! Stadgenoten! Viva Sant'Agata!'

Af en toe klinkt een schel fluitje.

De eerste deur is open.

Achter de ramen hoog boven het altaar en boven de schilderingen van het lijden van de heilige Agata wordt de hemel al iets lichter.

Mensen kijken op hun horloges, op hun mobiele telefoons.

Nu moeten de zeven deuren ontgrendeld worden voordat ze in *la cameredda* zijn, het kamertje van Sant'Agata, onder de kathedraal, omspoeld door het water van de vroegere Thermen van Achilles.

En dan...

Een oorverdovend lawaai. Iedereen roept en zwaait met de witte doekjes.

'Klim op de bank, klim op de bank,' zegt de vrouw geëmotioneerd. 'O, ze is zo mooi, zo lief!'

Suzanne klimt op de bank. De mensenmassa is in volle deining.

En daar verschijnt ze, door het geopende hekwerk, glinsterend goud op een golvende zee van witte schouders en zwartfluwelen petjes. Iedereen probeert haar aan te raken.

Een blank gezichtje met ronde wangen en een onderkinnetje, de grote kroon op het hoofd die Richard Leeuwenhart haar geschonken zou hebben; de buste lijkt bedekt met sterren, zo flonkeren de edelstenen.

Mensen roepen, huilen. Haar buurvrouw lopen de tranen over de wangen.

Dit is geen beeld.

Dit is Agata zelf.

Ze merkt tot haar verbazing dat ze ontroerd raakt. Agata,

bij wie Roberto troost vond, wier beeltenis Bellini op zijn hart droeg. *Casta diva.*

Daar gaat ze door het gangpad, wiegend op die zee van witte schouders en glinsterende tranen.

De klokken beieren.

Er klinkt rumoer op het plein.

De mensenmassa uit de kerk volgt haar naar buiten.

'Mooi is ze hè?' zegt de oude vrouw.

'Schitterend.'

'Ze is zo'n grote steun. Ga achter haar aan. Ik heb daar de kracht niet meer voor.'

Boven de hoofden van de mensen ziet Suzanne achter de open poort van de dom de nieuwe dag en daarin de contouren van de heilige.

De menigte op het plein barst uit in gejuich bij het weerzien met hun patrones.

Suzanne laat zich meevoeren door de massa, de kerk uit, achter Agata aan, de stralende dag in.

Er wordt muziek gespeeld, de klokken luiden.

Tegen de blauwe lucht boven de olifant ziet ze de eerste paarden en Calimero's. Er wordt 'Viva Sant'Agata' geschreeuwd en gewuifd met kleurige vlaggen en witte doekjes terwijl Agata naar de eeuwenoude *fercolo* wordt gedragen, een soort open koets van zilver, fraai bewerkt met een zilveren baldakijn. Sant'Agata wordt erop getild en op een bed van roze bloemen gezet tussen enorme brandende kaarsen. Vervolgens klimt de aartsbisschop op de zilveren wagen, geholpen door een van de in het wit gehulde mannen die op elk van de hoeken staan.

Trompetgeschal.

Een oorverdovende knal, gevolgd door geknetter als mitrailleurvuur. De blauwe lucht wordt weer bestrooid met zuurtjes.

Vuurwerk en brandende kaarsen wedijveren met de zon.

Dan zet de wagen zich heel langzaam in beweging.

Voortdurend buigen de witte mannen zich voorover om kleinere of kolossale kaarsen in ontvangst te nemen en op de wagen te zetten.

Een kindje wordt omhooggehouden naar de aartsbisschop, die het in zijn armen neemt en Agata aan laat raken waarna hij het de dolgelukkige moeder teruggeeft.

Weer ruikt het naar kruitdamp en gebrande suiker. Het vuurwerk blijft daveren en het plein staat vol kraampjes met snoep, geroosterde amandelen, pistachenoten, noga, marsepein, gekarameliseerd fruit. Overal kun je suikerspinnen laten weven.

Agata zal de hele dag op pad zijn samen met de candelore. Pas vanavond keert ze terug in de kerk.

'Waarschijnlijk wordt het nachtwerk,' zegt een man in het wit. 'Het is drukker dan ooit.'

In plaats van bij het feestgewoel te blijven gaat ze naar huis om de mannen op te zoeken. Waarschijnlijk is ze nog op tijd voor het ontbijt.

Eerst loopt ze langs Caprice om wat marsepeinen borsten te kopen. Een moeder met een volwassen, wat sloom ogende zoon laat ook net een stel van die blanke ronde gebakjes inpakken.

Het gekke is dat niemand het gek vindt.

Ze bestelt er zes. De ober pakt ze in in hemelsblauw papier en bindt er een gouden lint omheen waar hij een strik in legt.

Ze koopt ook nog een zakje *olivette di Sant'Agata*, groene marsepeinen olijven, net zo zoet als de olijven die aan de boom voor haar cel groeiden.

Minni

Even kijkt Roberto blij als hij de deur opendoet.

'Daar is ze weer, onze avonturierster. Hoe was het?'

'Spectaculair.'

Hij loopt naar een luie stoel, ploft erin neer met een zucht.

'Ik heb vrijwel niet geslapen.'

'Hoe komt dat?'

'Ik was bezorgd.'

'Wat een onzin, dat was nergens voor nodig.'

'En mijn ingewanden. Ik heb net weer geprobeerd naar de wc te gaan maar het lukt niet. Ik heb de dokter gebeld. Die komt straks. Waarschijnlijk laat ik me opnemen. Zie je, Madu is er nog steeds niet. Hij komt tegenwoordig pas om halftien. Eerst moet hij andere dingen doen.'

'Je kunt toch je eisen stellen?'

'Nee, dat kan nu juist niet. Hij is de baas geworden, bepaalt hoe het hier gaat. Ik wil hem ontslaan maar heb gewacht tot jouw komst anders hadden we zonder personeel gezeten. Ik heb bijna elke dag ruzie met hem, heb hem niet meer in de hand.'

Ze houdt het pakket omhoog. 'Ik heb iets meegenomen van Sant'Agata.'

Hij herkent het papier. 'Van Caprice.'

'*Minni.*' Het Siciliaanse woord voor borsten.

'Ik zal het niet kunnen eten.'

Daar is Madu.

Hij groet met een vluchtig knikje en verdwijnt in de keuken.

Even later komt hij vertellen dat het ontbijt klaar is.

Er hoefde vrijwel niks te gebeuren.

'Eigenlijk moet ik niks meer eten,' bromt Roberto.

Zij gaat naar de kamer van Enrico. Hij zit in het halfdonker gebogen over een tafel.

'Enrico, kom je ontbijten?'

Ze ziet een onopgemaakt bed. Boeken op de grond, naast een berg kleren.

Hij staat op en volgt haar naar de tafel.

Madu brengt drie kopjes koffie en een kom warme melk voor Roberto. Die gooit de inhoud van zijn kopje koffie erbij. Hij pakt een stuk brosse koek uit de oude trommel, en voorovergebogen doopt hij die in de kom, waarbij hij uitbundig morst. Hij had al een vlek in zijn overhemd. Ook Enrico's kleren zijn vies. Daar let Madu dus helemaal niet op. Enrico sloft nog steeds rond op dezelfde kapotte sandalen.

Roberto zag er altijd zeer verzorgd uit. Een vlekje op zijn kleren of op de hare ontdekte hij meteen. Vroeger had hij drie witte pakken die altijd smetteloos moesten zijn en die hem erg goed stonden. Toen het net aan was tussen hen had hij haar meegenomen naar een mooie modezaak, en met kritische blik kleren voor haar uitgezocht. Schoenen en tasjes moesten daar volmaakt bij passen.

'Wat een feest. Dat kunnen ze wel hier.'

'Sicilianen zijn *più spagnolesco* dan de Spanjaarden. De overheersers die het beste bij ons pasten, met hun pompeusheid en spilzucht.' Als jonge jongen had hij wel meegedaan. 'De witte sacco die mijn moeder had gemaakt was op een gegeven moment te klein geworden.'

'De maffia bemoeit zich ermee,' zegt Enrico.

'Hoe dan?'

'Het draait allemaal om geld. Iedereen wordt aangespoord een kaars te kopen. Die grote wegen meer dan honderd kilo en kosten vijfhonderd euro. De mensen denken dat ze zo een plekje in de hemel krijgen. Ze branden tien minuten, dan worden ze gedoofd en afgevoerd door wagens die in de zijstraten staan. Vervolgens worden ze omgesmolten en opnieuw verkocht. Alleen de beschermde kaarsenverkopers krijgen een kans.'

'Alles draait om geld vandaag de dag,' zegt Roberto. 'Geen enkele affectie meer. Mensen hebben niks voor elkaar over.'

'Er zijn weddenschappen over hoe lang de processie zal duren,' zegt Enrico. 'Welke candelora het eerst in de kathedraal terug zal zijn.'

De bel.

Enrico gaat naar de intercom.

Het is de dokter.

Even later doet hij de deur open en komt er een tamelijk jonge man binnen met een tas.

Roberto en Suzanne staan op en lopen hem tegemoet.

'Professore,' roept hij terwijl hij hartelijk zijn arm uitsteekt, 'wat is er gebeurd?'

Dan drukt hij haar de hand met een lichte buiging.

'U bent het nichtje?'

'Ze is een engeltje dat me even komt troosten. Maar ze vliegt telkens weg achter Sant'Agata aan. En straks verdwijnt ze weer helemaal.'

'Sant'Agata heeft haar naar u toegestuurd.'

Ze gaan in de studio zitten. Roberto gebaart dat ze erbij kan blijven.

'Ik denk dat ik me moet laten opereren. Er zit een obstakel in mijn buik, misschien een tumor. Als ik me van de ene zij op de andere draai voel ik een enorm gerommel. Ik kan al tijden niet naar de wc.'

De dokter wil hem even onderzoeken. Ze trekken zich terug in de slaapkamer.

Na een tijdje komen ze de studio weer in.

'Dat wat opgeblazen gevoel wordt veroorzaakt door de vergrote prostaat, maar dat is niks ernstigs.'

'Dat is een geruststelling,' zegt ze opgewekt.
'Dit lost niks op,' bromt Roberto.
'De professor is erg grillig,' zegt hij tegen haar waar Roberto bij is. 'Hij laat zich opnemen en na een paar dagen gaat hij er weer vandoor, maakt kuren niet af. Zijn hart is te zwak voor een operatie.'
'Laten we het risico nemen. Als ik doodga ga ik dood.'
'Il professore ziet het als een vorm van euthanasie. Het probleem is dat drie artsen een handtekening moeten zetten. Niemand wil de verantwoordelijkheid hebben voor een sterfgeval.'
'Je mag in dit land niet eens dood.'
'Wat doet u vanavond, signorina?'
'Bij Sant'Agata kijken.'
'Ik zei het, ze is niet te houden.'
'Ik zou u graag uitnodigen.'
'Dank u, maar als ik niet bij Agata ben houd ik de professor gezelschap.'
'U moet de Salita di San Giuliano niet missen, dat is het spectaculairste moment. Dan zingen de nonnen. Als er weer iets is professore, meteen bellen, ik vind het altijd een genoegen u te zien.'
Hij kust haar hand. 'En u ook.'

Enrico is zijn tas aan het inpakken.
'Waar ga je heen?'
'Naar de apotheek en naar het postkantoor.'
'Wat hij daar gaat doen is een raadsel,' zegt Roberto.
Er klinkt luid geknal.
'Vuurwerk,' zegt Enrico. 'Dat gaat zo de hele dag door.'
Daarna verdwijnt hij zonder uitleg te geven.
Roberto zinkt neer in een stoel.
'Nou, dan moet ik maar niet meer eten. Er zit niks anders op. Ik zeg ik eet een half bord en dan eet ik toch alles.'
'Moet je van tevoren tegen Madu zeggen.'

'Vaak gedaan.'
'Beter groente dan pasta.'
'Of helemaal niks.'
'Yoghurt met fruit.'
Yoghurt heeft hij nog nooit gegeten en het staat hem tegen. Hij denkt dat de ziekenhuizen gewoon geen problemen willen tijdens de feestdagen.
'Je beweegt ook niet.'
'Dat kan ik niet, *santo cielo*!'
'Je kunt Madu vragen groentesoep te maken.'
'Ik eet helemaal niks,' zegt hij kwaad. 'Twee dagen vasten. Er zijn mensen die dat veertig dagen volhouden. Madu vraag ik alleen nog maar om me klysma's te geven.'
Hij kijkt weer getergd.
Ze denkt aan de lieve glimlach van Sant'Agata.
'Wil je een glaasje water?'
Dat vindt hij wel een goed idee.
Daar is Enrico weer, met een pak witbrood en een jerrycan met water.
'Je ging toch naar de apotheek? Verkopen ze daar tegenwoordig brood?'
'Onderweg bedacht ik dat mijn brood op was,' zegt Enrico kalm.

Tegen lunchtijd is Roberto zijn voornemen vergeten en schuift aan. Ook Enrico komt aan tafel met zijn net veroverde casinobrood en huzarensalade.
De telefoon.
Enrico loopt erheen en blijft even praten.
Er klinkt weer geknal in de verte.
Roberto reageert niet. Hij concentreert zich op zijn bord pasta.
'Wie was dat?' vraagt hij als Enrico aanschuift en doorgaat met het in blokjes snijden van het brood.
'Ida, om me te feliciteren met mijn verjaardag.'

'Je verjaardag???!'
Ze kijkt naar Roberto. Die is ook verbaasd.
Enrico heeft de gekte niet van zijn moeder maar van zijn vader.
Als Enrico even in de keuken is, zegt ze verwijtend: 'Hoe kan dat nou?'
'Ik weet van niemand de verjaardag. Niet eens van mezelf.'
'Ik weet dat dat niet zo is.'
Hij kende niet alleen de datum van zijn eigen verjaardag heel goed, maar ook die van de hare. Hij had een groot feest georganiseerd in de Villa Normanna toen ze vijfentwintig werd. Alfio had verrukkelijk gekookt en er waren heel veel mensen die ze geen van allen kende. Ze had hem vaak duidelijk proberen te maken dat ze ook wel eens samen met hem wilde zijn, maar dat begreep hij niet. Ook met mensen erbij waren ze toch samen? Ze had kennisgemaakt en leuk gepraat met Roberto's secretaresse uit de kliniek, Maria. Suzanne had een grote taart aangesneden waar haar naam op stond. Ze hadden veel donkere Siciliaanse wijnen gedronken en gedanst aan de rand van het zwembad met uitzicht over de zee en de vulkaan. Hij was een zwierige gastheer. Ze had zich gelukkig gevoeld. De ring met een rozet van granaatjes die hij haar toen gaf had ze jaren gedragen, maar op een bepaald moment had ze hem afgedaan. Hij had het niet gemerkt.
'Een dag vóór Sant'Agata, dat vergeet je toch niet? We hadden een feestmaal moeten hebben.'
'Daar worden we alleen maar ziek van.'
'Gelukkig heb ik gebak meegenomen. Dat is me vast ingefluisterd door Sant'Agata. Hoe vier je gewoonlijk je verjaardag, Enrico?'
'De laatste jaren thuis. Vroeger maakte ik wel eens een tochtje met mijn moeder.'
'We vieren niks meer,' zegt Roberto.

'Hoe oud ben je geworden?'

'Zestig.'

'Dan was je er vroeg bij,' zegt ze tegen Roberto.

'Hij overdrijft.'

Enrico zegt niks en wijdt zich aan het in kleine blokjes snijden van het met huzarensalade besmeerde brood.

Roberto begint weer te klagen over zijn zoon Elio en zijn verderfelijke schoondochter. Met de begrafenis van zijn vrouw kwamen ze 's morgens en gingen 's avonds weg. Alles heeft hij voor ze gedaan. Hij heeft ze in Bergamo opgezocht, nadat Elio een crisis had gehad en in een kliniek was opgenomen. Hij zat voortdurend te schrijven onder invloed van buitenaardse wezens die hem van alles dicteerden. Ze woonden destijds in een heel primitief appartement en Roberto had ze uitgenodigd weer in het ouderlijk huis te komen wonen. Na een tijdje wilden ze een eigen huis. Dat heeft Roberto gekocht. Toen ze verder weg wilden, heeft hij een huis verder weg gekocht. Na twaalf in plaats van zes jaar studeerde Elio af. Als Ida er niet was geweest was Elio misschien nog goed terechtgekomen. Roberto had zelfs het vermoeden dat ze een bepaald antiek beroep uitoefende en daarbij het werk van haar man uitbuitte.

Het lijkt wel alsof Roberto zich laat meeslepen door zijn kwaadheid en de verhalen telkens dramatischer maakt. 'Ze is een slang, een reptiel, van de allerergste soort. Honderd procent berekening. Na de dood van mijn vrouw heeft ze zich geen moment afgevraagd: redden die twee mannen het wel? We waren helemaal verloren. Bij Elio is het zijn ziekte die hem niet in staat stelt tot gevoelens.'

'Wat voor ziekte dan?'

'Schizofrenie.'

Enrico smeert de laatste huzarensalade op een boterham.

'Nu overdrijf je. Dat is toch heel ernstig, dan kan hij toch geen psychiater zijn?'

'Het is ook ernstig. Hij heeft last van wanen en hoort stemmen.'

Roberto denkt dat Elio er bedenkelijke contacten op na houdt met lieden die hem steunen, door cliënten te sturen bijvoorbeeld, anders zou hij niet weten waar hij van leefde. Hij hoorde niet bij een kliniek en had geen kaartje op de deur met 'Medico'. 'Hij is ziek, de stakker, maar zij is een monster. Twee zieke zonen heb ik. De ene is goed, de andere slecht.'

Enrico hoort het aan zonder enige reactie.

'En dat soort gevallen hebben altijd de grootste problemen met degenen die het dichtst bij hen staan: de ouders. Omdat die weten dat ze ziek zijn. Als ik in de krant lees over vreselijke moorden weet ik: die is schizofreen. Het is best mogelijk dat Elio hier op een dag verschijnt en me iets aandoet.'

'Nu zie je het al te zwart.'

'Het kan niet zwart genoeg.'

De borden zijn leeg, het pakje huzarensalade ook.

'En nu wat zoetigheid,' zegt ze opgewekt. 'Het is tenslotte een feestdag.'

Ze gaat naar de keuken, waar Madu achter een bord oosters ogend voedsel televisie zit te kijken. Het ziet er erg lekker uit en het ruikt ook goed. Roberto zal er ongetwijfeld nooit een hap van hebben geproefd.

Enrico kijkt verrast als ze met het hemelsblauwe pakket terugkomt.

'Vanwege de jarige.'

Ze knoopt het lint los, vouwt het papier open en onthult de zes blanke rondingen met rode kers.

'*Tanti auguri*, en dat dit jaar niet alleen bitterheid maar ook zoetigheid mag brengen.'

Roberto bromt dat dat moeilijk zal worden en Enrico is het met hem eens, maar het gebak wordt gewaardeerd.

Roberto is zijn problemen vergeten en verorbert met smaak ook de tweede borst.

'Arme Agata.'
'Tja.'

Als Roberto rust en Suzanne in de studio zit te lezen, gaat de telefoon opnieuw. Enrico neemt op en komt even later de studio binnengesloft.

'Voor jou. Mijn broer.'

'Voor mij?!'

Hij knikt.

Ze loopt naar de telefoon, gespannen.

'*Pronto, sono* Suzanne.'

'*Buongiorno, sono* Elio,' klinkt een donkere stem. 'Ik hoorde van Enrico dat je daar logeerde. Ik wilde je alleen zeggen dat je je niet met onze zaken moet bemoeien.'

'Maar dat...'

'Er valt niks meer te halen.'

'Daar kom ik niet voor,' zegt ze verontwaardigd. 'Het gaat niet goed met Roberto. Hij is erg zwak en alleen.'

'Dat heeft hij aan zichzelf te danken. Nogmaals, dit zijn familiezaken.'

Dan groet hij en hangt op.

Beduusd blijft ze staan. Haar eerste neiging is om het Roberto te vertellen, maar ze besluit dat niet te doen. Wat heeft het voor zin? Hij zal er alleen maar kwaad van worden en het zal zijn paranoia aanwakkeren.

Elio is misschien bang dat Roberto dit appartement aan haar nalaat.

Ze wil naar buiten, de straat op, weg uit dit sombere huis, terug naar het feest.

Voorzichtig kijkt ze om de hoek van Roberto's slaapkamer. Hij ligt niet op bed maar zit op een stoel ernaast.

Hij wijst op het kleine klapstoeltje en gebaart dat ze het naast hem moet schuiven. Als ze daarop plaats heeft genomen, zegt hij: 'Ik ben dit laatste jaar erg achteruitgegaan.'

'Zie ik niet.'

'Ik ben een wrak.'
'De wrede tijd.'
'Voor jou gaat die niet voorbij. Je bent niks veranderd, alleen ten goede, *più femmina.*'
Dat verrast haar, ze dacht altijd dat het voor hem hoe jonger hoe beter was.
'Veel mensen halen jouw leeftijd niet.'
'Ik wilde dat ik hem ook niet had gehaald. Ik neem geen deel meer aan het leven, ben toeschouwer. De mooie dingen kun je niet meer doen.'
'Hangt er vanaf wat je de mooie dingen noemt. Dansen en seks voor jou. Maar er bestaat meer dan dat.'
Weer begint hij over de dood van zijn moeder, de oorlog. Hij zocht de verdoving, de roes. Zijn zusters zaten altijd te drammen over de klassieken, belangrijke schrijvers, boeken die hij per se moest lezen, archeologie; die hadden het hem tegengemaakt. Hij had voor zijn leven genoeg van blauwkousen.
Enrico gaat weer even de deur uit, naar de apotheek. De tweede keer vandaag.
'Hij gaat vrijwel elke dag. Hij creëert werk voor zichzelf. Zolang je hem niks in de weg legt gaat alles goed.'
Ze wijst naar de tafel vol medicijnen.
'Ook allemaal gekocht door Enrico?'
'Nee, die zijn voor mij.'
'Ik ga kijken hoe het met Agata staat.'
'Heb je het nu nog niet gezien?'
'Ik blijf me verwonderen.'

Viva Sant'Agata!

Er zijn veel mensen op straat, kinderen met windmolentjes en snoep. De zwarte lavasteen is bestrooid met een nieuwe laag zand en zaagsel.

Ze loopt naar de Piazza Stesicoro, waar Agata volgens het programma nu zou moeten zijn.

Er is niets te zien. Is ze misschien al voorbij?

Ze gaat het café op de hoek van het plein binnen.

Aan de bar staat een groep jonge mannen in witte gewaden. Ze bestellen broodjes ijs. De barman snijdt de brioches open en smeert er vervolgens een schep ijs en een klodder slagroom tussen.

'Ik dacht dat Sant'Agata hier zou zijn.'

'Ze loopt een paar uur achter,' zegt een van de jongemannen. 'Dat is haar schuld niet. Ze moet om de twintig meter stilstaan voor een toespraak, bloemen of vuurwerk.'

'Er moeten zoveel mogelijk kaarsen verkocht worden,' zegt een man die niet in het wit is schamper. 'Mensen die nooit in de kerk komen zijn nu ineens fanatiek. Dagenlang is de stad geblokkeerd. Als je van iemand houdt is het toch ook niet alleen met San Valentino? Morgen kun je niet meer over de stoepen lopen want je glijdt uit. Auto's kunnen niet remmen.'

Een moeder komt binnen met een jongetje in een sacco. Ze vraagt of zij weten waar Sant'Agata nu is.

'Op de Piazza Carlo Alberto.'

'Wanneer is ze hier?'

'Dat zal nu niet zo lang meer duren.'

Er wordt door iedereen over haar gesproken als over een levend mens, en ook Suzanne betrapt zich op dat gevoel.

‘Straks krijgen we de *Salita dei Cappuccini*. Dat is voor vandaag het mooiste. Ze gaan de helling op van de Monte Vergine. Dan moeten ze rennen anders krijgen ze die loodzware wagen niet omhoog.’

‘Wat een bijzonder feest.’

‘Het mooiste dat er voor een mens bestaat,’ zegt een van de witte mannen ernstig. ‘Morgen is het allermooiste. De Salita di San Giuliano. Dat is een heel steil stuk. En daarna het zingen van de nonnen.’

Er klinkt vuurwerk.

‘Ze komt eraan! Nu kan ze niet ver meer zijn.’

Iedereen loopt naar buiten.

Aan de ene kant ligt het Romeinse theater, in de diepte, aan de andere kant zit Bellini op zijn zuil.

‘Ze komt eraan, Sant’Agata komt eraan,’ gonst het in de straten.

Achter de kalm voor zich uit starende Bellini, wiens kruis van het legioen van eer nu fonkelt op de boezem van Sant’Agata, klinkt rumoer, stemmen en geknetter. Een mensenmassa beweegt zich haar kant op, daarboven hangen rookwolken, gillen vuurpijlen en dwarrelen regens van confetti.

Achter de drommen witte mannen volgt langzaam de zilveren wagen met kaarsen die, ook al is het nog licht, rond de hartstochtelijk beminde patrones van de stad branden. De mensen juichen, klappen, menigeen veegt een traan weg, en ook Suzanne wordt in die woeste heksenketel weer getroffen door het beeld in de verte van die lieve serene uitdrukking op het gezichtje van Agata. Langs het theater in de diepte rijdt Agata, dat er al stond toen zij hier meer dan zeventien eeuwen geleden rondliep, waar ze gezeten heeft misschien, voorstellingen heeft bijgewoond. Bij de kerk van het rooster, die gedeeltelijk over het theater heen is gebouwd, staat de processie stil. Dit is de plek waar haar eigen drama zich heeft afgespeeld.

De aartsbisschop verschijnt in een bloedrode mantel om Agata te verwelkomen.

Hij memoreert de verschrikkingen die Agata hier heeft moeten doorstaan, en hoe kalm ze bleef: 'Als u me in het vuur gooit zullen de engelen een reddende dauw op me neer laten dalen. Als u me andere klappen toedient zal de Heilige Geest ervoor zorgen dat ik uw martelingen niet voel. Als u me voor de wilde beesten gooit zullen ze zachtaardig worden bij het horen van de naam van Christus.'

Agata smeekte niet om genade, integendeel, ze zei: 'Het graan kan niet bewaard worden in de graanschuur als het nog in het vlies zit en zo kan mijn ziel niet naar het paradijs als hij zich niet bevrijd heeft van zijn omhulsel.'

Bloedrode fonteinen spuiten knallend en ratelend omhoog, boven het Romeinse theater en boven de kerk met het rooster. Daarna valt er geruisloos een gordijn van zilveren diamanten.

De stoet kan verder.

Nadat Agata van haar borsten was beroofd werd ze afgevoerd naar de gevangenis, en daar gaan ze nu ook heen.

De mensenmassa schreeuwt: 'Cittadini, cittadini, viva Sant'Agata!'

'Nu komt de Salita dei Cappuccini. Dat is spannend,' zegt een vrouw naast haar.

'We moeten erheen, dichterbij,' roept een in het wit gehulde jongen.

'Je komt er niet doorheen. Zoveel mensen op elkaar. Als iemand struikelt...'

'Vorig jaar is er een ongeluk gebeurd,' vertelt de vrouw.

Er galmt orgelmuziek door de luidsprekers, gezang, daarna getoeter, geknal, explosies van vuur en confetti. Er worden bossen bloemen de wagen op getild, kaarsen in alle maten, en kinderen om ze Agata aan te laten raken.

'Cittadini, cittadini, *siamo devoti tutti*!' schreeuwen de mannen zo hard ze kunnen, en dan beginnen ze te rennen.

Een witte golf stroomt de Monte Vergine op, onder gejuich en geklap. Honderden mannen trekken aan de touwen de loodzware wagen omhoog. Suzanne laat zich meevoeren door de stroom, de berg op.

Ze komen tot stilstand voor de Sant'Agata al Carcere en de olijfboom.

Weer klinkt er muziek door de straatjes, over de hoofden van de mensen, dezelfde straatjes waar Suzanne doorheen reed, jaren geleden, op weg naar Taormina. Waar Roberto liep als jongetje, klein en verliefd op zijn moeder, en later op weg naar haar graf, naar de dom om zijn hart uit te storten bij Agata, en naar geheime minnaressen in wier armen hij troost zocht en soms even vond, misschien.

De stem van een andere priester klinkt.

'Voordat Agata naar binnen ging stond ze stil op de drempel van lavasteen. Misschien waren er afdrukken ontstaan van haar bloedende voeten en zijn die later door volgelingen uitgehakt. In de vreselijke, donkere en koude nacht die volgde, tussen het gekerm van andere gevangenen, verscheen Petrus, die al haar wonden genas en ook haar borsten herstelde.

Sommige mensen vinden dat moeilijk te geloven. Misschien was het niet Petrus maar een van de missionarissen die toegang kreeg tot de gevangenen. Misschien was ze niet letterlijk genezen, maar in diepste wezen was ze dat wel, door de liefde, de aandacht, door haar geloof in Christus, die net zo sereen en van liefde vervuld zijn dood tegemoetging.'

De stem van de priester galmt over de hoofden van de mensen.

Ze kijkt naar de donkere ogen van de mannen, die roerloos staan te luisteren. Tijdens het feest van Sant'Agata werden er minder misdaden gepleegd, zo had ze gehoord.

'Het gaf haar de kracht om rustig voor Quinzianus te verschijnen. Dat maakte hem gek van woede. Deze kalme rust, waardigheid en hoge moraal confronteerden hem met zijn eigen zwakte. En daarom veroordeelde hij haar tot de meest verschrikkelijke straf. De dood door verbranding.'

'Ze had de kans om te ontsnappen,' legt de vrouw naast Suzanne uit, 'of om een valse libellus te gebruiken, maar dat deed ze niet.'

'Ze werd geroosterd op hete kolen en puntige scherven. Toen ze stierf beefde de aarde waardoor een gedeelte van het gebouw instortte. Het paleis is weg en Quinzianus ook. Maar Agata is hier, in ons midden. Agata leeft, en Agata wijst ons de weg.'

'Viva Sant'Agata!' schreeuwen de mensen uit volle borst.

De stoet komt in beweging, de witte menigte wringt zich door de smalle straten naar de plek waar het lichaam van Agata eeuwen heeft gerust, in de Sant'Agata la Vetere.

'Daar staat haar sarcofaag,' vertelt de vrouw die nog steeds naast Suzanne loopt.

Van alle balkons wuiven de mensen. Ze juichen en klappen.

'Het gaat nog langzamer dan vorig jaar. Misschien is ze niet eens op tijd voor de mis morgenochtend.'

'Dat moet. Er komt speciaal een kardinaal uit Rome,' zegt een oudere man. 'Dan moet Agata terug zijn, maar ze is een echte nachtbraakster geworden.'

'Het mooiste moet nog komen.'

Ze lopen steeds langzamer, en hoe dichter ze La Vetere naderen hoe minder er bewogen wordt. En dan komt straks ook het ritueel van het vuurwerk nog, en de kaarsen.

Suzanne wil weg, naar huis. Ze moet haar krachten sparen want morgen wil ze de hele nacht wakker blijven om het zingen van de nonnen te horen. Ze loopt naar huis langs het imposante klooster van de benedictijnen, dat doet denken aan Versailles. Vroeger leefden daar monniken die de hele stad in hun macht hadden. Nu huist de universiteit er, waar Roberto ooit studeerde tot hij naar het front moest.

Geknal. Alsof er bommen ontploffen.

Ze belt aan bij zijn huis.

De deur springt open.

Op de trap hoort ze al rumoer. Enrico wacht haar op voor de openstaande deur.

Vuurwerk spat van de televisie, boven de mensenmenigte waar ze net tussen stond.

Langzaam wordt Agata de kerk Sant'Agata la Vetere binnengedragen.

'Daar is mijn zuster Agata getrouwd,' zegt Roberto.

Een close-up van la Santa, door kaarsen verlicht.

'Wat een puur gezichtje. Zo ontroerend, die onschuld.'

Roberto's ogen glanzen.

'Ik was ooit verliefd op een meisje van mijn klas, die had ook zo'n lief gezichtje, ze leek op Agata. Ik schreef gedichtjes voor haar. Maar ze zei: "Nee Roberto, niet doen, niet zulke woorden tegen me spreken." Later hoorde ik dat ze in een klooster is gegaan.'

De sarcofaag wordt getoond waar Agata waarschijnlijk in is gelegd nadat het christendom legaal was geworden.

'Jarenlang was ze mijn steun en toeverlaat, Agata,' zegt Roberto aangedaan. 'Ik dacht dat ze alles wat ik haar vertelde, doorvertelde aan mijn moeder.'

Er wordt ingezoomd op de plek waar Agata van haar borsten werd beroofd. Op die plek was de binnenplaats van het paleis, en daar heeft waarschijnlijk de hele ondervraging plaatsgevonden.

Toen hij een jaar of zestien was ging Roberto vaak in de kerk van de benedictinessen naar een groot schilderij van Sant'Agata kijken, vertelt hij. Het wond hem op, die mooie blonde vrouw met blote borsten, vastgebonden aan een Romeinse zuil, en dat bracht hem in verwarring. Hij schaamde zich, want ze was ook zijn tweede moeder.

Intussen juichen, klappen, zingen en huilen de mensen en het orgel speelt.

Straks zet Agata haar tocht voort. Waarschijnlijk blijft ze de hele nacht op straat.

Suzanne niet, zij gaat slapen. Roberto en Enrico ook.

Santa Lucia

Als ze gedoucht en aangekleed in de salon verschijnt, verdwijnt Madu net met een grote spuit in de kamer van Roberto.

'Zou Agata al terug zijn?' vraagt Suzanne aan Enrico.

Hij doet de televisie aan.

Ze zien hoe Agata zich langzaam over het domplein naar de dom begeeft, omringd door brandende kaarsen in de heldere ochtend.

En weer barst het vuur open aan de hemel, klinken klaroenen en trompetten, gejuich van mensen als welkomstgroet.

'Gelukkig, ze heeft het gered,' roept de verslaggeefster geëmotioneerd, 'la Santa is net op tijd terug voor de grote mis.'

In de kerk klinkt verheven muziek.

Als Madu komt vertellen dat de koffie klaar is gaan Enrico en zij aan tafel zitten.

Hij snijdt zijn boterham met huzarensalade in kleine blokjes.

Ze vertelt over de afgelopen avond.

'Als Agata drieënzestig jaar later geboren was, was er niks aan de hand geweest,' zegt Enrico. 'In 250 is ze gedood, in 313 kreeg het christendom dezelfde rechten als de andere godsdiensten. Bij het Edict van Milaan.'

'Onder keizer Constantijn.'

'Eigenlijk een besluit van Licinius. Constantijn heeft het wel ondertekend. In 391 werd het christendom staatsgodsdienst.'

'Wat weet je dat precies.'

'Jaartallen zijn mooi, je wordt er rustig van.'
'Voel jij je christen?'
'Ik geloof geen dingen die niet bewezen zijn.'
Na een tijdje schuift Roberto aan.
Madu brengt hem koffie met warme melk.
Roberto gooit de melk en de koffie in een kom en sopt er stukken koek in.
Suzanne vraagt hoe hij zich voelt.
'Ach, ik had me willen laten opnemen.'
'Maar nu voel je je wat beter?'
'Het lucht op, maar het is onnatuurlijk. Mijn ingewanden werken niet meer. Nou ja, zo kan Madu zich nog een beetje nuttig maken.'
'Ik ga straks even kijken of Agata veilig thuis is.'
Ze zal op tijd terug zijn voor de lunch.

Als ze de deur uit komt rijdt Tina net de jeep naar buiten. Ze zwaait, draait het raampje naar beneden.
'*Tutto bene*?'
'Heel goed. Ik volg Sant'Agata.'
'Hoe bevalt dat?'
'Indrukwekkend.'
'Ik heb niks te veel gezegd hè? Dit is voor elke Catanees het hoogtepunt van het jaar. Waar ga je heen?'
'Wat rondkijken. Straks naar de dom.'
'Ik moet ook die kant op. Even naar de markt. Ik geef je een lift.'
Suzanne klimt in de auto, die bedekt is met een laag as.
Tina draagt een witte jas van namaakbont.
Voor het raam bungelt een rode peper en het borstbeeld van Sant'Agata.
Rustig en zelfverzekerd manoeuvreert Tina de grote auto door de smalle drukke straten, haar rijkberingde vingers op het stuur.
Er zijn veel schoonmakers op straat. '*Nettezza urbana*'

staat met grote letters op de achterkant van hun lichte jacks. Met vuurspuwende apparaten gaan ze de plakkaten kaarsvet te lijf waarmee het plaveisel is bedekt.

'Daar zijn ze wel een maand mee bezig. Maar het ergste moet nog komen. Bij de ronde van vanavond worden er nog meer kaarsen aangeboden. Er gebeuren veel ongelukken. Voetgangers die uitglijden maar ook auto's en vespa's.'

Ze vindt net een plekje voor de jeep op een plein dat al helemaal vol staat, en geeft de sleutel aan de parkeerwachter.

De Via Etnea wordt opnieuw bestrooid met zand en zaagsel, tegen de duizenden kaarsen die hier zullen lekken, vanavond en de hele nacht.

De straatjes die naar de markt voeren liggen bezaaid met confetti, blikjes, leeggelopen ballonnen, snoeppapiertjes, stokjes van suikerspinnen, programma's met het gezicht van Agata. Haar mysterieuze glimlach glanst tussen het straatvuil.

Ze komen op een gigantisch plein dat vol staat met kraampjes die zijn versierd met ballonnen en slingers. Overal straalt het gezicht van Agata, boven fruit, groente, bloederig vlees, sieraden, vissen, amandelen, olijven.

Alleen bij de kleren zijn geen levenstekens van Agata te zien. Die kraampjes zijn in handen van Chinezen.

Even later ziet ze een groot bord waarop geschreven staat: '*Difendiamo il Made in Italy*!' Laten we het *Made in Italy* verdedigen!

Tina koopt mandarijnen en citroenen, de takjes met bladeren zitten er nog aan.

'Kijk uit,' roept Tina. Ze wijst op een grote vlek kaarsvet.

Gisteren was ze hier, Agata, en dat is niet ongemerkt voorbijgegaan.

Bij een viskraam blijft Tina staan.

Ze wijst op kleine schelpjes.

'Zijn die van vanochtend?'

'Proef maar,' zegt de man.

Tina trekt een schelpje open en bijt het levende diertje eruit.

Ze geeft er ook een aan Suzanne.

Ze proeft de zee.

'Hebt u *neonati*?'

'Verboden, *bella*.'

'Ik dacht dat u zich door dat soort regels niet liet storen,' zegt ze, terwijl ze de schelpjes afrekent.

'Wat zijn dat, neonati?' Ze kent die term alleen voor baby's.

'Pasgeboren visjes van de triglie of de ansjovis. Saro had daar zin in. Eigenlijk is het verboden die te vangen maar niemand trekt zich er iets van aan.'

Ook een andere viskraam heeft ze niet.

'Dan moet ik naar de Pescheria.'

'Die is toch bij de dom? Daar wilde ik even binnenlopen.'

'Ga ik mee.'

Ze lopen tussen de kraampjes door, langs bergen kazen, afgehakte koppen van schapen en geiten, struiken basilicum, paddestoelen van de Etna, tot ze bij een bouwvallig kerkje komen dat is afgeschermd door een hek. Er wordt gerestaureerd.

Het is jammer dat ze niet naar binnen kunnen. In de kerk is de plek waar ze Agata hebben neergelegd in een soort grot van lava. Er moet ook een mooie afbeelding van de geboorte van Jezus te zien zijn, met Jozef als kraamverzorger.

Op een groot geel bord staat geschreven: 'San Gaetano alle grotte', gevolgd door uitleg over de plek. Vroeger heette het kerkje Santa Maria di Betlem, en het was gesticht door bisschop Everio in 261. Santa Lucia heeft rond 300 een bezoek gebracht aan het graf van Sant'Agata.

Santa Lucia kwam uit Syracuse. Haar moeder had een ernstige bloedziekte en ze heeft gebeden tot Sant'Agata om haar moeder te genezen. Agata verscheen in een droom, genas haar moeder en kondigde haar aan dat zij ook als martelares zou sterven. Vanaf dat moment wijdde Lucia zich volledig aan de armen en zieken.

'Santa Lucia had toch met ogen te maken?'

'Ja, haar ogen zijn uitgestoken bij de marteling of ze heeft het zelf gedaan omdat een hoge Romein haar als vrouw wilde en zo verliefd was op haar ogen. Als je iets aan je ogen hebt moet je bidden tot Santa Lucia.'

Hier liepen ze, zeventien eeuwen geleden, Agata en Lucia, even genadeloos afgeslacht als al die beesten hier, en al meer dan tweeduizend jaar wordt er markt gehouden op deze plek. Eeuw in eeuw uit. Hij heet nog steeds *Fiera del luni*, omdat er in de Romeinse tijd alleen op maandag markt was. De kraampjes worden opgebouwd en afgebroken, de waren aangedragen en weer afgevoerd.

'Is dat de *madonna del Carmine*?' Suzanne wijst op een grote kerk die de markt overheerst.

'Ja, vroeger ging de wagen met Sant'Agata daar ook naar binnen, maar dat gebeurt niet meer sinds er een man verpletterd is bij de ingang.'

Het heeft geen zin om de auto te nemen dus gaan ze te voet naar de Piazza del Duomo, over de brede zandweg waarin de zwarte Via Etnea is veranderd. Veel mensen begeven zich in de richting van de kathedraal.

'Jammer dat Roberto en Enrico dit niet zien.'

'Ze willen niks. Wij hebben al zoveel dingen voorgesteld. Soms zegt hij ja, maar hij bedenkt zich altijd. We zouden een uitstapje maken naar Piazza Armerina, de Romeinse villa bekijken en eten in De Granaatappel, dat nieuwe restaurant, maar niets meer van gehoord.'

'Hij heeft niets tegen mij gezegd.'

Tina vindt dat het steeds slechter gaat. Met Roberto en met Madu. 'De professor had in bed geplast en Madu had het niet verschoond. Dat heb ik gedaan.' Suzanne denkt aan Roberto's woorden, dat Tina de plaats van Madu in wil pikken. Ze heeft het gevoel dat Tina het goed meent.

'Je hebt de bonnen nagekeken.'

Negen van de tien pakken melk en een kilo lamsvlees waren nooit in huize Colafiore beland, zegt ze. 'De professor verzekert mij telkens dat hij Madu zal ontslaan, maar uiteindelijk gebeurt er niks.'

'Dus hij blijft.'

'Ik ben bang van wel, ja.'

De klokken beginnen te beieren.

Alle ogen zijn gericht op het Palazzo degli Elefanti, en even later schrijdt de burgemeester met de Italiaanse vlag om zijn buik naar buiten om zich met zijn gevolg in de richting van de kathedraal te begeven. Uit een zijstraat komt een eindeloze dubbele rij van mannen in wit en goud het domplein op gestroomd, plechtig voortstappend: de Siciliaanse clerus. Voorop de kardinaal die de mis zal leiden, speciaal overgekomen uit Rome.

Tina en zij gaan nog even snel langs de Pescheria, de beroemde vismarkt naast de dom waar je de grootste variëteit vissen vindt van het hele eiland. Ze lopen langs de fontein waar het water in opspat van de Amenano, een onderaardse rivier. Agata rust in dit water. Onder de dom lagen de Thermen van Achilles. Die rivier stroomt daar nog steeds.

'Hier vlakbij is net een restaurant geopend waar je naar beneden kunt en eten aan de rand van die rivier.'

Dat zou Suzanne graag zien, maar nu is er geen tijd.

Boven alle kramen hangt een baldakijn van kleurige ballonnen, als hommage aan Sant'Agata, die hier gisteren een bezoek bracht. Er liggen vissen in alle kleuren en maten, sardientjes, ansjovis, kolossale tonijnen, zwaardvis, de afgehakte kop met het zwaard vervaarlijk maar machteloos in de lucht, enorme octopussen.

De mannen roepen en prijzen vol hartstocht niet alleen de smaak en de versheid maar ook de schoonheid van hun waren. Schubben glinsteren parelmoerig in het licht terwijl ze worden afgeschraapt. Tina loopt speurend langs de kraampjes.

'Ja, daar heb je ze.'

Tina wijst op een berg gelatineachtig spul. Als Suzanne zich eroverheen buigt ziet ze de zwarte spikkels van de oogjes.

'Een pond graag.'

De man pakt een klodder met de hand en gooit die op een stuk papier, weegt het en vouwt het papier dicht.

'Hoe eet je dat?' vraagt Suzanne verbaasd.

'Kom straks even mee, dan laat ik het je zien.'

'Ze verwachten me met de lunch.'

'Het gaat heel snel.'

Ze haasten zich naar de kathedraal. Tina met haar tas vol fruit en dode of halfdode beesten. Er zijn nog veel meer mensen met volle boodschappentassen in de uitpuilende kerk.

De eerste rijen zijn een en al kleurenpracht. De kledij van de geestelijkheid wedijvert met die van de Maltezer ridders, die rijkvertegenwoordigd zijn want Agata is samen met de apostel Paulus ook patroonheilige van Malta.

Een kardinaal uit Rome, minister van Buitenlandse Zaken van het Vaticaan, leidt deze *Messa pontificale*.

De pausen hebben altijd een zwak gehad voor Agata omdat hun voorganger Petrus aan haar verschenen is.

'Ik heb de getourmenteerde geschiedenis gelezen van uw stad en uw gemeente,' zegt hij met een Frans accent, 'slachtoffer van invasies en plunderingen, van politieke conflicten en natuurrampen. En te midden van al die stormen straalt het meisje van Catania.'

Hij zal haar geschiedenis niet vertellen, zegt hij, die kennen we allemaal, hij wil alleen antwoord geven op de vraag waarom Agata zich na de eerste martelingen en na die nacht in die vreselijke cel niet liet redden door consul Quinzianus, maar kalm de woorden sprak: 'Christus is mijn redding.' Hij denkt dat het antwoord luidt: omdat het Agata niet om rijkdommen en genietingen ging maar om de zuivere liefde die bereid is tot offers. Sant'Agata eren is niet alleen ons een mooi hoofdstuk herinneren van deze stad, maar tot ons door laten dringen wie Agata was en haar, wier naam Goedheid betekent, als voorbeeld te nemen. Met goedheid is zoveel te bereiken, we kunnen anderen en onszelf gelukkiger maken, het leven hier op Sicilië zal nog mooier worden.

Suzanne kijkt naar de mensen die stil staan te luisteren. Moeders met kinderen, grootmoeders, maar ook veel jongemannen met donkere blikken. Menigeen draagt onder het witte habijt een pistool of een mes weet ze nu. Veel maffiosi zijn trouwe kerkgangers en vereerders van heiligen, intens gelovig, met de Bijbel naast het pistool. Misschien lezen ze alleen de passages die hen aanspreken, over een wraakgierige God en een uitverkoren stam.

De ouders van een Catanese jongeman die gesneuveld is in Irak worden toegesproken, en ze mogen een groot boeket rode rozen neerleggen voor Sant'Agata. 'Dat zijn bloed zaad mag zijn voor een betere wereld.'

Tina en zij laten zich meevoeren door de massa, de kerk uit, de straten in. De zon staat hoog aan de hemel, het zand glinstert op het lavaplaveisel.

De mensen stromen door de straten zoals de lava door de straten stroomde, kolkte. Vroeger baadden de mensen in de thermen waar nu de kerk staat, ze vluchtten voor natuurrampen of vreemde overheersers, en ze stroomden terug om hun stad weer op te bouwen en het leven te hervatten.

Terwijl ze naar de auto lopen zegt Tina: 'Saro zou zeggen: "Ja, de liefde is mooi, maar als iemand je een klap geeft de andere wang toekeren, ik zal gek zijn. Dat is voor zwakkelingen."' Saro is wel een fanatieke volgeling van Sant'Agata. Hij gaat bijna nooit naar de kerk, vindt de priesters hypocriet maar Sant'Agata adoreert hij.

Pasgeborenenpoffertjes

Ze gaat even met Tina mee naar binnen.

Saro komt de keuken in lopen. Zijn witte habijt maakt zijn ogen en haren nog zwarter.

Hij omhelst Suzanne met een groot gebaar, maar zijn blik heeft iets schichtigs.

'Alles goed? Hoe is het met de professor?'

'Somber en zwak.'

'Hij moet een kaars kopen.'

Intussen pakt Tina de neonati uit.

'Zie je wel, je vindt ze altijd. Die geven extra energie,' zegt hij. Straks na de lunch gaat hij de deur uit om Agata te begeleiden, en op zijn vroegst is hij morgen voor het ontbijt terug. Dus wat extra krachten kan hij wel gebruiken.

'Ook als je een kindje wilt maken zijn die visjes nuttig. Zeg tegen de professor dat hij een kaars koopt. Hij heeft geld zat.'

Tina doet de geleiachtige massa in de kiem gesmoorde vissenlevens in een bak.

'Die grote kosten maar driehonderd euro. Dan zal het zeker beter met hem gaan.'

'Ik zal het doorgeven,' zegt Suzanne om er vanaf te zijn.

Tina breekt een paar eieren en gooit die bij de visjes.

'Een beetje meel.'

'Ik kan het voor hem regelen, met korting. Hij moet wat slimmer met zijn geld omgaan. Hij is krenterig maar op de sociëteit verspeelt hij zeshonderd euro per avond zeggen ze.'

'Parmezaanse kaas.'

'Lijkt me sterk.'

‘Heb ik uit betrouwbare bron.’ Saro drinkt rode wijn, maar biedt hun niks aan.

‘De professor moet vaker uit. Hij zit maar thuis over zijn geld na te denken. Ik ken een club waar de mooiste meisjes komen. Eerst is het “Ja, goed idee”, maar op het laatst zegt hij af. Ik heb hem een keer midden in de nacht naar het ziekenhuis gebracht. Toen we er waren wilde hij weer naar huis.’

‘Peper, gehakte peterselie en dan goed klutsen.’

‘Zeg jij maar dat hij die kaars moet kopen, dat het goed voor hem is. Dat Agata hem zal helpen. En je moet zeggen dat je graag naar Piazza Armerina wilt en eten in die beroemde tent. Hij moet gewoon gedwongen worden tot besluiten.’

Tina heeft een koekenpan op het vuur gezet.

‘Wat olijfolie.’

‘Hij mag jou toch ook wel wat bieden. Wat is er anders aan bij zo’n ouwe knar. En wij staan altijd voor hem klaar.’

‘Kijk, en dan met een lepel.’

Een klodder van het geleiachtige spul glijdt in de hete olie en sissend verandert dat meteen van kleur. De doorzichtige klodders worden grote witte poffertjes.

‘De professor moet meer leuke dingen doen, dan zou het met zijn gezondheid ook beter gaan.’

‘Hij zit echt krap en hij is somber door die toestand met zijn zoon in Bergamo.’ Ze zegt niet dat Elio haar heeft gebeld.

‘Die heeft zo’n hekel aan zijn vader omdat hij zijn moeder verdriet heeft gedaan. Hij heeft zelfs zijn vriendin afgepikt.’

‘Wie?’

‘De professor, van zijn zoon, vroeger. En hij heeft ook achter zijn schoondochter aan gezeten.’

‘Hij kan Ida niet uitstaan.’

‘Daarom juist, omdat ze er niet op inging.’

‘Geloof ik niet.’

‘Dat heeft Elio wel verteld ja,’ zegt Tina, terwijl ze een bord pasgeborenenkoekjes voor hen neerzet.

'Neem,' zegt Saro, en pakt er zelf een.

Ze proeft. Erg smakelijk moet ze toegeven, al vindt ze het gerecht iets pervers hebben. Een heel duidelijke vissmaak die subtiel combineert met de kaas.

'Elio zal zijn broer heus niet op straat zetten,' zegt Tina. 'Bovendien heb je advocaten om daarop toe te zien.'

'Elio denkt juist dat zijn vader het huis wil verkopen om dan het geld dat Enrico toekomt in te pikken,' zegt Saro, die nog een poffertje neemt.

'Absoluut niet waar. Hij is werkelijk bezorgd over de toekomst van Enrico.'

'Hij belt elke maand op de zevenentwintigste: "Kan ik rekenen op de huur, ik heb het nodig."'

'Hij zei dat jullie grote achterstand hadden.'

'Ja, maar dat is opgelost. We hebben hem vaak begeleid. Er was afgesproken dat als wij hem met de auto zouden halen en brengen dat afgetrokken zou worden van de huur. Maar dat werd niet bijgehouden. Komt zijn advocate ineens met een enorm bedrag dat betaald moet worden. En hij stuurt een brief dat we het huis uit moeten, vlak nadat we alles hadden betaald.'

'Neem er nog eentje.'

Saro tast toe. 'Dit geeft me de kracht om het een hele nacht vol te houden,' zegt hij en zijn ogen fonkelen.

'Ik moet nu naar boven. Ik had beloofd dat ik met de lunch...'

'Ja, wacht even. Dan geef ik je een paar *polpette* mee.'

Er sissen er nog een paar in de pan.

Ze legt ze op een bord.

'Niet vergeten te zeggen van de kaars. Bel straks even. Kijk, dit is het nummer van mijn mobiel.'

'Wat is dat?' vraagt Roberto achterdochtig als hij de deur open heeft gedaan.

'Polpette di neonati.'

'Hoe kom je daar nou aan?'
'Heeft de buurvrouw gebakken. Voor jullie.'
'Het laatste waar ik behoefte aan heb.'
De tafel is gedekt.
Madu komt uit de keuken en vraagt of hij kan opdienen.
Ze gaan aan tafel zitten.
'Hoe kwam je bij de buurvrouw terecht?'
'Hier voor de deur zag ik haar. Ze ging boodschappen doen. Ik ben mee geweest naar de markt en zij is met mij meegegaan naar de kerk.
Ook Enrico komt aangesloft.
'Proef er eentje,' zegt ze tegen Roberto. 'Ze zijn heel lekker en ook gezond.'
'Ik heb ze nooit door mijn keel kunnen krijgen. Bovendien is het immoreel. Straks zwemt er geen vis meer in de zee, alleen afval van volgevreten mensen.'
'Wat zijn dat?' vraagt Enrico.
'Neonati.'
Hij kijkt wel geïnteresseerd.
'Heeft de buurvrouw gebakken.'
De uitdrukking op Enrico's gezicht verandert meteen in afkeer.
'Ik vond ze heel smakelijk. Moeten jullie niet even proeven?'
Enrico tilt zijn kin op, wat hier 'nee' betekent.
'Dan eet jij ze maar allemaal op,' zegt Roberto. 'Ik heb altijd gehuiverd van die oogjes. Vroeger zeiden ze tegen me: "Dat is peper", maar ik wist heel goed dat het oogjes waren. Vreselijk dat we leven door andere levende wezens op te eten. Wij mensen zijn de ergsten. Ik zou het liefst nooit meer vlees eten. *Homo homini lupus est*. De allervreselijkste soort.'
'En Agata dan?'
'Ja, een goed voorbeeld. Kijk wat er met haar gebeurd is.'

'Maar zij geloofde in de liefde. En zo zijn er meer mensen die leven vanuit naastenliefde, zich inzetten voor de medemens, die offers brengen voor de ander.'

'En die worden opgevreten.'

'Je weet niet wat ze erdoorheen heeft gedaan,' mompelt Enrico.

'Kijk naar Elio. Die zou zijn eigen familie opeten als hij kon. Hij volgt zijn egoïstische instincten en basta.'

Madu zet de pasta op tafel.

De heren buigen zich eroverheen en kijken niet meer op.

'Tina bedoelde het goed.'

'Die familie bedoelt niets goed.'

Pas als zijn bord leeg is kijkt Roberto weer op.

'Enrico eet te veel,' zegt Roberto na een lange stilte.

'O ja?'

'Kijk maar naar zijn buik.'

Enrico reageert niet.

Daarna volgt een stukje kalfsvlees waar Roberto niet zonder smaak zijn tanden in zet.

'Saro vond dat je een kaars moest kopen voor Sant'Agata.'

'Daar heeft hij het al een maand over. Altijd hetzelfde, koop dit, koop dat. Met korting zeker?'

'Ja.'

'En dat betekent het dubbele. Laat hij me mijn pistool teruggeven.'

'Ze zeiden dat we een tocht zouden maken naar Piazza Armerina en daar eten.'

'Daar hebben we het over gehad ja.'

'Zou ik wel leuk vinden.'

'Dat kunnen we misschien wel doen. Dan rijden zij.'

'Komt het er toch nog van. Daar wilde ik vroeger ook altijd heen, weet je nog? Dan kunnen we even langs Enna, daar zijn we dan vlakbij.'

'Omdat jij het zo graag wilt.'

'Voor jou toch ook een leuk uitje?'

'Ach, niks is meer leuk.'

'En jij, Enrico?'

'We zullen zien,' zegt hij vermoeid, 'hoe ik me voel. Ik ben er geweest met mijn moeder. De villa is voor het jaar 340 gebouwd en heeft 3500 vierkante meter mozaïekvloer.'

'Enrico wil nooit iets met die mensen.'

'Wat een prachtige markten hebben jullie hier trouwens.'

'De gevaarlijkste buurten van de stad.'

'Het kwam erg gemoedelijk over. Wat een kleuren en geuren.'

'Je kunt het in Egypte ruiken,' zegt Enrico.

'Wat zegt hij nou weer voor raars,' bromt Roberto.

'Je kan de Etna in Cairo ruiken.'

'Weer een van zijn fantasieën.'

'Amerikaanse astronauten zagen op hun weg terug naar de aarde een rookpluim uit de Etnakraters komen en over de Middellandse Zee de mond van de Nijl bereiken.'

'Werkelijk?'

'Ja. De oude Egyptenaren noemden die wind "*il Catanese*". Apollodoro, de Catanese kok van Cleopatra, stelde de keizerin en haar geliefde Marcus Antonius gerust als er terwijl ze in een gouden boot over de Nijl voeren, zwarte korreltjes in het eten vielen dat hij op het dek bereidde. Hij zei: "Dat is as van de vulkaan en die is heel gezond."'

'Zie je dat zijn geest niet normaal is,' zegt Roberto.

'Ik vind het heel interessante verhalen.'

'De Arabieren gingen fruit verbouwen,' gaat Enrico rustig door, 'en jasmijn planten op de hellingen van de Etna. Vanaf dat moment ruikt il Catanese naar sinaasappelbloesem en jasmijn.'

'Wat bijzonder dat je dat weet.'

Hij lacht verlegen. 'Ach, je leest wel eens wat.'

'Een wonderlijke geest,' zegt Roberto. 'En de buurvrouw ging mee naar de kerk?'

'Ja. Het was een mooie dienst.' Ze doet verslag van de preek.

'Tja, het zou mooi zijn als iedereen zo goed was als Sant'Agata, maar dat is niet realistisch. De wereld wordt nooit beter. Ze vreten je op als je goed bent. Ik heb in het communisme geloofd en ook in Mussolini en zijn corporatieve staat, zijn optreden tegen de maffia. Geen enkel systeem kan de mens in goede banen leiden. Het blijft een jungle. Ook wat we democratie noemen. Kijk naar Amerika, egoïsme en eigenbelang zijn niet in te tomen.'

Ze hadden het er vaak over gehad. Als je optimistisch in een maakbare samenleving gelooft kan dat niet anders dan op een desillusie uitlopen. Maar verbittering en cynisme waren het andere uiterste. Suzanne was altijd sceptischer geweest, besefte dat de mens maar voor een klein deel uit rede bestaat. Maar je moest in de goede krachten blijven geloven. Vanuit de wanhoop moest je leven, niet sterven.

'Dat jij zelf geen kwaad hebt gedaan is belangrijker dan dat anderen jou kwaad hebben gedaan.'

'Je begint al een beetje op Agata te lijken,' zegt hij met een vage glimlach. 'Ik heb altijd voor iedereen gezorgd. Mijn vrouw heeft het aan niks ontbroken.'

'Liefde misschien.'

Hij hoort het niet.

'Je hebt ook van het leven genoten.'

'Soms wel, maar allemaal zelf verdiend. En ach, wat is genieten. Het waren lege genietingen. Wat is ervan over?'

'Je hebt mij veel geboden. Je hebt me dit prachtige eiland leren kennen en me van het dolce vita laten proeven.'

Hij aait haar even over haar hand met een dankbare blik.

'Dus je zult nog wel eens aan me denken, niet alleen met bitterheid?'

Oerwouden van kaarsen

Na een middagslaapje om krachten te verzamelen voor de nacht gaat ze de deur uit.

'*Piccola*, wees voorzichtig, houd je telefoon bij je. Er zijn ook veel delinquenten op de been, vergeet dat niet.'

De mensen stromen weer in de richting van de kerk, de witte gewaden deinen over de wegen van zand. Overal staan of rijden rekken met kaarsen in allerlei maten. EUROCERA is er met grote letters op geschreven, de naam van de fabrikant.

Het is bijna zes uur, het tijdstip waarop Agata de kerk uit komt voor haar laatste en belangrijkste rondgang door het hart van de stad.

De Salita di San Giuliano, de omhooglopende straat met oleanders aan weerszijden, komt uit op een sprookjeskasteel, dat louter bestaat uit kleurige feestverlichting. Rond middernacht zal Agata deze berg beklimmen, over zo'n twaalf uren.

Ook over de Via Etnea zijn poorten opgetrokken van kleurig licht.

'*Attenzione!*'

Er komt weer een kar aangerold met reusachtige kaarsen.

Het plein is vol en de roodfluwelen doeken glanzen in het licht van de straatlantaarns.

Ze blijft staan op de hoek van het plein en de Via Etnea, vlak bij bar Caprice.

En weer barst het bombardement los van licht en lawaai.

Oorlog lijkt het.

Nergens is de band met vuur zo hecht als hier, op de gloeiende grond boven de werkplaats van Vulcanus.

Vanuit de hotelkamer van San Domenico konden ze op oudejaarsnacht rivieren van vuur de berg af zien stromen. Een paar eeuwen geleden overspoelde een oceaan van vuur een groot deel van Catania. Nadat de ziedende lava sissend in het water tot bedaren was gekomen, werd Castel'Ursino, de middeleeuwse burcht, niet meer door slotgrachten omringd maar door zwarte steen. Een groot stuk zee was omgesmeed tot land en zo kwam de burcht niet langer aan de kust maar midden in de stad te liggen.

Extra levend had ze zich hier gevoeld, vanaf het eerste begin, door de zee en door het vuur.

'Viva Sant'Agata!'

Kinderen worden op witte schouders getild, hun handjes op de rouwkleurige petjes van hun vaders.

Mensen gaan op hun tenen staan, klappen, wuiven met witte doekjes. Een jongen omklemt het beeld van een kardinaal op de balustrade voor de dom.

De mensen roepen.

Vuurwerk knettert.

Daar is ze!

Op de zilveren wagen wordt ze getild, waar al vele kaarsen branden.

De gouden candelore steken boven de hoofden van de mensen uit. Af en toe klinkt een schel fluitje waarna zo'n gouden toren zich wiegend een stukje voortbeweegt om de weg te bereiden voor Sant'Agata.

Maar haar wagen komt nauwelijks vooruit. Oerwouden van kaarsen worden aangedragen, andere weer haastig afgevoerd.

De ogen van de mensen flonkeren, in de feestverlichting hebben de gezichten alle kleuren. Ze doet niet haar best zich door de massa heen te wringen, ze heeft de hele nacht nog.

De Via Etnea, die deftige flaneerstraat, is veranderd in een woestijn, een strand met zuilen van kaarsen. Overal druipt het kaarsvet. De mannen gieten telkens vet af op straat, en werken de lonten bij. Dan tillen ze de enorme kaarsen weer op hun schouder en lopen verder met glanzende ogen en bezweet gezicht.

Dit is een geloof dat brandt en geurt en walmt en sporen achterlaat. Een devotie die aangewakkerd wordt en wordt geconsumeerd per kilo.

De stad zindert, aan de hemel bruist het vuurwerk als champagne. Zilveren bubbels rollen langs de zwarte lucht.

Het vliegverkeer wordt hier vaak stilgelegd, de ene keer vanwege de vulkaan, andere keren door de nabootsingen van de mensen die erbovenop wonen. Bang zijn de vuurwerkmakers niet, ze hebben nooit een ongeluk meegemaakt. Het zijn vaklui en tegenwoordig is alles computergestuurd.

Ze pakken hun spullen in om straks op een andere plek nieuwe staaltjes te laten zien. Alles gaat in die rijdende bom, een vrachtauto vol Romeinse kaarsen, fonteinen, kometen, geruisloos vuur. Er gaat voor honderdduizenden euro's de lucht in. Allemaal voor haar, Agata, de beschermster tegen het vuur. Bij uitbarstingen van de Etna heeft haar sluier de lavastromen vaak tot stilstand gebracht en ook bij kleinere branden wordt zij aangeroepen.

Suzanne gaat naar Caprice.

Voor de deur van de bar staan een paar mannen in het wit met hun kolossale kaars, waarmee ze niet naar binnen mogen omdat de cliënten zouden kunnen uitglijden en de vitrines vol marsepeinen borsten en andere zaligheden in glibberen.

Om beurten drinken of eten ze iets en passen op de kaarsen.

'Hoeveel weegt zo'n ding?' vraagt ze aan een man die wacht heeft.

'Honderdtwintig kilo. Een meter zeventig hoog.'

Hij vertelt dat hij Agata had beloofd dat wanneer hij werk zou vinden, hij de kaars elk jaar tien kilo zwaarder zou maken.

'Ik ben begonnen met vijftig kilo.'

Zijn vrienden, die weer uit de bar komen, dragen kaarsen van tweeëntachtig en drieënveertig kilo.

'Het gewicht hangt af van de belofte die je hebt gedaan of van wat je Agata hebt gevraagd.'

'Ik heb Agata beloofd dat ik een kaars zou dragen zo groot en zo zwaar als ikzelf,' zegt de jongen die de kaars van tweeentachtig kilo draagt. 'En ik hoop dat ze me een goede baan geeft.'

'Waar kopen jullie die kaarsen?'

'Er zijn veel rommelaars, amateurs, die snel geld willen verdienen, maar ook een paar oude degelijke kaarsenwinkels. Deze is van een winkel die bestaat sinds 1795. Een kaars moet glad zijn en goudgeel als de honing van Zafferana.' Hij strijkt teder over zijn kaars.

'Je kunt ze maanden van tevoren bestellen. De laatste dagen voor het feest is het daar een gekkenhuis.'

'Sommige mensen huilen als ze hun kaars in ontvangst nemen. Het gaat heel diep.'

Achter elke kaars brandt geloof, smeult verdriet, gloeit hoop.

'In de winkel geven ze ook raad als je niet weet hoe zwaar je kaars moet zijn. Je kunt uitleggen wat je wensen zijn, waar het voor is. Dan weten zij precies hoeveel kilo.'

'Er was een crisis, maar dit jaar is er weer meer verkocht. Misschien is men minder bang voor de euro.'

'Of er zijn meer gebeden verhoord.'

'Hoeveel kost zo'n kaars?'

'Eén zeventig tot twee dertig per kilo. Hangt ook van de kwaliteit af.'

Inderdaad, Saro had de prijs verdubbeld.

'Er zijn ook kaarsen van twee of drie kilo hoor, voor vrouwen en kinderen. U moet er een kopen. Daar zult u geen spijt van hebben.'

Zij wensen haar alle goeds en vervolgen hun tocht. Ze tillen de kaarsen op hun schouder en rennen weg. Dat is de aanpak: een stukje rennen, een tijdje staan.

Met totale overgave storten de mensen zich in het feest. Er zijn meer mannen dan vrouwen op straat.

Heel langzaam beweegt de zilveren wagen zich voort. Regelmatig wringt een open vrachtwagen zich door de mensenmenigte tot aan de zilveren koets. De zojuist geofferde kaarsen worden in hoog tempo in die wagen gekieperd. Soms ook een boeket waar geen plaats meer voor was.

'Mamma!' roept een van de mannen vanaf de vrachtwagen. 'Mamma!' Hij buigt zich voorover en overhandigt zijn moeder een mooie bos witte en roze rozen.

Suzanne kijkt, ze praat, af en toe eet of drinkt ze iets. Ze loopt door het hart van de stad in het spoor van Agata en soms voor haar uit. Regelmatig is er een pauze waarin vuurwerk wordt ontstoken of kleurige papiertjes met 'Viva Sant'Agata' de lucht in worden geblazen die neerdalen op haren, hoeden, in kinderwagens en decolletés. Ze denkt aan de twee sombere mannen en besluit weer te bellen.

Roberto neemt op.

'Het is fantastisch.'

Ze hebben het gezien op de televisie. De Siciliaanse omroep volgt de processie op de voet. 'Heel druk, zagen we. Kijk uit, wees voorzichtig. Misschien kun je beter naar huis komen.'

'Maak je geen zorgen. De sfeer is opgewekt, iedereen is aardig en open.'

'Je bent te goed van vertrouwen.'

'Ik ben niet gek. Jammer dat jullie er niet bij zijn.'

'Het zou mijn dood worden. Als er iets is, bel.'

Om een uur of tien gaat ze naar de Salita di San Giuliano om de situatie te verkennen en alvast een mooie plaats uit te zoeken.

Ze wandelt over de oplopende straat tussen de oleanders door in de richting van het glinsterende lichtkasteel.

Ze gaat een barretje in.

Het duurt nog uren, zeggen ze daar. Elk jaar gaat het langzamer.

'Als je hier staat kun je het zingen van de nonnen vergeten, dan kom je niet meer door de menigte heen. Het is óf de salita óf de nonnen.'

Ze loopt verder omhoog en gaat de beroemde Via dei Crociferi in, waar het klooster zich bevindt van de zingende nonnen, op de plek van de vroegere acropolis. Het hele jaar zitten de nonnen daar opgesloten behalve die paar minuten deze nacht.

De straat is donker en stil. Alleen in een kleine bar brandt licht.

In deze stille duisternis liggen de gloriewerken van de barok verscholen. Het ene weelderige kerkgebouw leunt tegen het andere.

Rijken en machtigen woonden sinds antieke tijden op de Monte Vergine totdat de lava in 1669 alles verzengde en kort daarna een vreselijke aardbeving alles wat was opgebouwd opnieuw deed instorten.

Vervolgens explodeerde het hier pas echt. De grootste architecten zetten de uitbundigste kerkgebouwen en kloosters neer op de met de grond gelijkgemaakte stad.

Uit elke krul van deze bouwwerken barst levenslust.

Alles begon opnieuw. Deze straat werd het decor voor grote religieuze en wereldse feesten.

En dat wordt hij straks weer.

Alleen haar eigen voetstappen hoort ze op de zwarte stenen.

De kerk van de benedictinessen lijkt nog in diepe slaap. In hun kerk hangt de grote schildering van Sant'Agata die Roberto als jongen in opwinding en verwarring bracht.

De door vuistdikke tralies afgeschermde luiken zijn dicht,

geen enkele kier laat licht door.

Suzanne loopt terug naar de bar en gaat naar binnen. De ruimte is klein en knus. Uit de radio klinkt romantische muziek. Achter de toog staat een jonge vrouw, barok als de straat, met uitbundige rondingen en krullen, die haar vriendelijk begroet. Tussen de drankflessen boven haar hoofd glimlacht ook Sant'Agata haar ingetogen toe.

Ze bestelt een *caffè*.

'Wat is het nog rustig. Heb je een idee wanneer Sant'Agata hier is?'

'Het kan nog uren duren. Elk jaar wordt het later.'

'Ik was bij de benedictinessen.'

'Nog niks te zien zeker? Mijn man belde net naar een vriend die vlak bij Agata is en die zei dat het heel langzaam gaat. Dit jaar zijn er nog meer mensen, ook van buiten Catania.'

'En nog meer kaarsen,' zegt een man die binnenkomt met een kist wijn. Haar echtgenoot waarschijnlijk.

'Maar het is het wel waard om te wachten,' zegt de vrouw, 'en vooraan te staan. Het is een magisch moment, die zingende zusters in de nacht.'

Die vervolgens, net als Agata, weer voor een jaar verdwijnen.

Een mannenstem zingt door de luidsprekers een lied dat haar raakt. 'Margherita', een nummer waar ze vaak op danste met Roberto. '*Perché lei vuole la gioia, perché lei ama i fiori.*' Blij zijn wil ze, van bloemen houdt ze en van kleuren. Als de pianist haar vroeg welk lied hij zou zingen, koos ze altijd dit. '*Corriamo per le strade.*' We rennen door de straten.

'*Abbracciamoci piu forte.*'

Ze denkt aan zijn krachtige omhelzing, lang geleden.

Roberto's favoriete lied was '*Il sognatore*'. De dromer.

Af en toe loopt er iemand binnen, drinkt iets, heeft het even over 'haar' en waar ze nu is en verdwijnt weer. Alleen maar mannen.

Maar dan komen er twee vrouwen binnen. Een kleine met zwart haar in een gele cape en een lange blondine, volledig in het wit. Haar huid is licht en haar ogen ook. Toeristen heeft Suzanne hier nog niet gezien. Ze hebben allebei een kroon van lichtjes op hun hoofd.

Ze spreken Italiaans.

Even later stappen drie vrolijk babbelende jonge meisjes de bar in en bestellen een biertje.

'*Solo donne*,' merkt ze op.

De vrouwen kijken vrolijk verrast.

'Oorspronkelijk was het een echt vrouwenfeest,' zegt de donkerharige dame. Soms gaan de lichtjes in haar haar even uit en dan weer aan. 'In de tijden van de Isisverering, waar dit Agatafeest veel van heeft overgenomen.'

De meisjes kijken verbaasd en een beetje achterdochtig. Agata is toch hún Agata?

'De *minni*, de marsepeinen borsten, hebben hun oorsprong in antieke vruchtbaarheidscultussen.'

De meisjes fronsen en nemen nog een slok. Het is alsof ze horen dat Sinterklaas niet bestaat maar een collage is van oude mythen.

'Bij Birgitta,' de donkere vrouw maakt een gebaar naar haar vriendin, 'hebben we net het Luciafeest gevierd.'

'In Syracuse?' zegt een van de meisjes enthousiast.

'Nee, bij haar thuis. Met heel veel vriendinnen.'

'Het is ook een belangrijk feest in Zweden,' zegt Birgitta.

Birgitta is Zweedse maar woont in Catania met een Siciliaanse man. 'Het is het grote lichtfeest,' vertelt de zwartharige vrouw, 'en dat wordt net als in Syracuse op 13 december gevierd.' De lampjes op haar hoofd floepen weer aan.

Eeuwenlang ging in Zweden tijdens de donkerste uren

van de ochtend een jong meisje, in een lange witte jurk, een rode ceintuur om haar middel, langs de boerderijen, met versgebakken koekjes. Ze had een toorts in haar hand en op haar lange blonde haar droeg ze een kroon van groene takjes en brandende kaarsen. Dat feest wordt nog steeds gevierd. Birgitta is zelf een paar keer *Lussibrud* geweest. Het is in Zweden en Noorwegen gebruik dat het jongste meisje van het gezin in een lange witte jurk de familie wekt met een schaal zoete saffraanbroodjes en dampende koffie.

Birgitta herkent veel hier. De witte gewaden, de kaarsen, het snoep. En het is bijzonder voor haar dat Lucia, die ze kent sinds haar prilste jeugd in Zweden, hiervandaan kwam en een volgelinge was van Agata.

'In Syracuse wordt ook zoetigheid met tarwe gegeten, net als in Zweden,' zegt haar zwartharige vriendin.

'Ja, *la cuciadata*, heel lekker,' reageert het jonge meisje. 'Mijn oma maakt dat altijd, die woont in Syracuse.'

Als kind werd Birgitta verteld dat er eens een vreselijke hongersnood was in Zweden en dat er 's nachts op een meer een boot verscheen, volgeladen met tarwe; een blonde, in het wit geklede vrouw aan het roer, een stralenkrans om haar hoofd. In Syracuse wordt verteld dat tijdens een hongersnood alle inwoners van de stad zich verzamelden in de kathedraal, om te bidden tot Santa Lucia. Even later verscheen ze blinkend wit op een boot volgeladen met graan.

Veel mensen denken dat de Vikingen het feest hebben meegenomen naar Zweden, maar misschien hebben de minder vredelievende voorgangers van de Vikingen hun lichtfeesten wel ingevoerd tijdens hun invasies, waarmee ze al begonnen in de vijfde eeuw. Het is onlogisch, al dat vuurwerk en die kaarsen overdag, op een eiland waar de zon bijna altijd schijnt.

'Dan zijn we nu dus een Scandinavisch feest aan het vieren?' zegt Suzanne.

'Gedeeltelijk misschien,' lacht Birgitta.

Los van elkaar zullen er grote lichtfeesten hebben bestaan. De meeste religieuze feesten komen voort uit de verbazing over de veranderingen in de natuur, het sterven en de wedergeboorte. Ook van het licht. In de voorgregoriaanse kalender was 13 december de kortste dag, het moment van de zonnewende. De duistere krachten werden overwonnen en een stralende godin bracht licht en vruchtbaarheid, graan en melk. Dat soort moedergodinnen zie je op veel plekken.

'Bij de Cerestempel in Enna stond ooit een kolossaal beeld van de korengodin met een fakkel in haar hand,' zegt de donkere vrouw.

'Nehalennia bij ons in Nederland werd ook afgebeeld met een schip, met fruit en een hoorn des overvloeds. Maar dat viert helaas niemand.'

Bij Agata draait het weer om licht en snoep.

'Agata!'

Iedereen kijkt op.

Zou ze daar al zijn?

Nee, de vrouw achter de toog blijkt ook te luisteren naar die naam. Haar man sjouwt nog steeds eten en drinken naar binnen.

Ook in Scandinavië zitten de wortels diep. De oude licht- en vuurgebruiken van de joelfeesten werden verbonden met Lucia's dag. In Zweden en Noorwegen was het een enorm gebeuren als na de lange donkere winter het licht eindelijk weer triomfeerde. De heidense vuren waarbij op trompetten en fluiten werd geblazen, harder naarmate de vlammen hoger oplaaiden, werden Luciavuren. Luciakaarsen werden ontstoken in de huizen.

'Het gebeurt weer meer de laatste jaren,' zegt Birgitta. 'Mensen hebben behoefte aan die rituelen en beelden.'

'Hebben godinnen nodig.'

De meisjes gaan naar buiten. De vrouwen ook, ze hebben

een afspraak met een andere vriendin, die net belde vanuit het feestgewoel verderop.

'Tot straks, bij de zingende nonnen,' zeggen ze als ze afscheid nemen in de donkere straat.

Hoog aan de hemel staat de stille maan.

Het gezang van de nonnen

Het is drie uur 's nachts en nog steeds geen Agata.

Af en toe keert Suzanne terug naar de bar om zich te warmen. De sfeer is er rustig en gelaten.

'*La Santuzza* haast zich niet,' zegt de barman. 'Misschien komt ze morgennacht.'

Suzanne gaat op de bovenste trede zitten voor het hek waarachter de nonnen straks zullen verschijnen. Stilte en duisternis omringen haar. Even legt ze haar hoofd in haar handen. Ze zou zo in slaap kunnen vallen. Op een bepaald moment heb je zo lang gewacht dat het niet meer uitmaakt, tijd niet meer bestaat.

Als ze haar hoofd weer optilt ziet ze heel ver, aan het eind van de donkere straat, een goudachtig schijnsel. Het beweegt, het danst. Een candelora huppelt haar tegemoet.

Ze zit op de allermooiste plek, tussen de nonnen en Sant'Agata. Haar geduld zal worden beloond.

De mannen zetten de candelora vlak bij haar voeten op de grond, voor de kerk. Goud, glanzend, met lantaarntjes die de gruwelijke scènes uit het leven van Agata die erin zijn uitgebeiteld, doen opgloeien in de nacht. De breedgeschouderde mannen schudden hun armen los, nemen een slok uit een fles met water die ze onder de candelora vandaan halen. De vermoeidheid staat op hun gezicht getekend.

'Is Agata in aantocht?'

'Dat gaat nog wel even duren,' antwoordt een van de mannen, die de achterkant van zijn hoofd en zijn schouders heeft bedekt met een jutezak. Hoeveel uur, dat weten ze niet.

Ze kijkt de candelora na, die deinend uit het zicht verdwijnt. Even later doemt een andere op aan het einde van de straat.

De poort van de kerk achter het hek waar ze tegenaan zit blijft vergrendeld. Wat zouden de nonnen nu doen? Bidden, zingen? Zouden ze geld krijgen voor hun optreden?

Ze valt even in slaap, schrikt wakker van de telefoon.

De stem van Roberto: 'Waar ben je?'

'Voor de deur van de nonnen.'

'Buiten?'

'Ja.'

'Ik werd net wakker, ging kijken in je kamer.'

'Er is heel veel vertraging.'

'Kom toch naar huis, dit is gekkenwerk.'

'Zeggen ze iets op de televisie?'

'Nee, de uitzending is gestopt.'

'Ik zet door. Ik heb nu zo lang gewacht.'

Vroeger trok ze het zich aan als hij bezorgd was of achterdochtig en wilde ze hem voortdurend geruststellen. Dat ze in haar eentje naar de film was, niet met een man, dat ze niet uitdagend gekleed was, dat ze echt met een vriendin naar dat feest ging en dat het een keurig feest was. Wanhopig en boos werd ze als hij haar niet vertrouwde.

Een andere tijd, een ander leven.

Zo kort geleden.

Langzaam verstrijken de uren. Soms slaapt ze even.

Geleidelijk verschijnen er wat mensen. Een jong stel gaat naast haar zitten. Na een tijdje vallen ook zij in slaap, de armen om elkaar.

Hier en daar staan mensen zachtjes te praten. Enkele oude dames komen aanlopen met stoeltjes, klappen die uit en gaan zitten.

Een cameraploeg bouwt vlak naast haar een stellage.

Zacht gebabbel klinkt, gezoem van batterijen.

Een schril fluitje en daar komt weer een gouden candelora aangedeind.

Steeds meer mensen stromen toe, steeds meer geroezemoes weerklinkt. En de lucht die net nog lavakleurig was wordt donkerblauw en zienderogen lichter. Langzaam leggen de kerken hun kleed van duisternis af en vertonen zich in al hun blanke, sierlijke luister.

'Dit hebben we nog nooit meegemaakt, dat de nonnen zingen op klaarlichte dag.'

'Ze rekken het expres om meer kaarsen, meer broodjes, meer snoep te verkopen,' wordt er gebromd.

'Nee,' zegt de buurjongen, met de arm om zijn geliefde, 'om langer met Sant'Agata te zijn.'

De geheimzinnigheid van de nacht is opgelost. Balkonnetjes zijn te voorschijn gekomen, volgepropt met mensen. Klokken beieren. Het is dag. Een zomers aandoende dag met een stralende zon.

Mensen blijven toestromen en nemen plaats op balkons, op trappen. Er kan niemand meer bij, zij aan zij staan ze op elkaar gepakt, tegen elkaar aangedrukt. Als er paniek uitbreekt wordt het gevaarlijk. De medewerkers van het Rode Kruis hebben het druk. Er vallen mensen flauw.

Intussen stijgt de zon en maakt gouden vlekken op de muren.

Ze wachten op Agata, die ze al dagen konden zien, en op gezang dat slechts een paar minuten duurt.

Het verliefde stelletje is nog steeds verliefd. Meer dan zestig jaar geleden skiede Roberto met zijn aanstaande vrolijk de Etna af.

Ze denkt aan die keer dat ze hem aan het eind van de middag belde, en hij met moeizaam ingehouden emotie meedeelde: '*In questo momento sono nell'ambulanza accanto a mia moglie, cadavere.*' De strakke Latijnse zinsopbouw en de pauze voor het woordje 'cadavere' maakte de mededeling nog indrukwekkender. 'Op dit moment ben ik in een ambulance, naast mijn vrouw, die een kadaver is.'

Geklap, geroep.

'Daar is ze! Daar is ze!'

'Nu zal ze wel bij de salita zijn.'

‘Als het goed gaat en snel is dat een gunstig voorteken, een voorspoedig begin van het nieuwe jaar.’

Nu zal het niet lang meer duren of Agata is hier.

Maar het duurt wel lang. De zon stijgt naar de hemel tot hij pal boven hen staat.

Ook al zou je weg willen, het kan niet. Iedereen is ingeklemd, tussen de barokgevels onder de helderblauwe lucht en de steeds fellere zon.

Van de nonnen noch van Agata een teken van leven.

‘Er is iets gebeurd.’

‘Wat?’

‘Er is iets fout gegaan.’

‘Wie zegt dat?’

‘Wat is fout gegaan?’

‘Op de salita.’

‘Wat?’

‘Een ongeluk.’

Ze belt Roberto, maar de telefoon werkt niet. Ook andere mensen bellen tevergeefs.

‘Gestruikeld.’

‘Ernstig?’

‘Waarschijnlijk.’

Dan gaat haar telefoon. ‘Hoe is het met je?’ Roberto klinkt erg bezorgd. ‘Er is een ongeluk gebeurd. Ze zijn gestruikeld, er zijn een paar jongens onder de voet gelopen. Heel ernstig. Kom onmiddellijk naar huis.’

‘Dat kan niet.’

‘Santo Dio, wat ben je toch koppig.’

‘Het is zo druk, niemand kan weg.’

‘Levensgevaarlijk, dat zei ik toch.’

Inderdaad zit er een gevaarlijke beweging in de massa die haar tegen het hek drukt.

‘Het is heel ernstig. Er zijn twintig mensen naar het ziekenhuis ge...’ De verbinding wordt verbroken.

Het drama heeft zich afgespeeld om de hoek, vlak bij haar barretje.

Weer valt er iemand flauw en banen de mensen in rood-witte pakken zich een weg door de mensenzee.

Iedereen is in verwarring, probeert te bellen. Men weet niet of er gefeest moet worden of gerouwd. Niemand kan weg.

En het wachten duurt.

Dan klinkt opnieuw gejuich, luider dan hiervoor.

'Daar is ze, daar is ze!'

Heel in de verte, daar is ze inderdaad.

Langzaam komt de stroom van witte mannen Suzannes kant op, met daarachter de zilveren wagen flonkerend in het felle licht.

'Er is een jongen overleden.'

'Hoe weet je dat?'

'Mijn moeder hoorde het op de televisie.'

'Viva Sant'Agata!' De mensen roepen, zwaaien.

Daar is ze, eindelijk, Agata, met haar geheimzinnige glimlach.

De kaarsen branden in de volle zon.

Achter het hek waar ze tegenaan leunt gaat de grote deur open. Van een monumentale marmeren trap dalen de zusters af in hun zwarte kledij, de haren verborgen onder een witte sluier.

Serene gezichten, de ogen wat onwennig.

Uit de stilte komen ze en kijken naar de op elkaar gepakte mensenmenigte. Een van hen, waarschijnlijk de abdis, heeft een boeket bloemen in haar armen.

Ze kijken.

Roerloos en stil.

Ook de mensenmassa is stil geworden.

Zo staan ze een tijdje, oog in oog.

Langzaam nadert de zilveren wagen.

Luide kreten. 'Agata, Viva Sant'Agata. Siamo devoti tutti!'

Dan komt de wagen tot stilstand, pal voor haar neus.

Ze staart naar de brandende kaarsen, het gezicht van de heilige waar ze sereen van wordt en dat de stoerste mannen in tranen doet uitbarsten. Niets is erop af te lezen van de vreselijke dingen die net zijn gebeurd, onder haar voeten. Onder haar ene heilige voet in de zilveren houder.

Dan verstomt het geroezemoes en wordt het volledig stil.

Suzanne draait zich om.

Daar staan de nonnen, net zo kalm als hun heldin. Maar in sommige ogen ziet ze ook een lichte verwarring om dit moment op een zomerse dag in de wereld waar ze afstand van deden, waar ze voor bidden. Oog in oog met hun grote voorbeeld.

De nonnen kijken naar elkaar, even, halen diep adem en dan klinken hun stemmen, hoog, zuiver. Uit een andere wereld.

Hun lied voor Sant'Agata.

De aartsbisschop is van de wagen afgestapt.

Hij luistert.

Iedereen is doodstil en bewegingloos.

De nonnen zingen over Sant'Agata, hun leidsvrouwe door het bestaan.

Ze zingen uit het diepst van hun ziel.

Dan wordt het stil.

Even.

Ze zingen slechts één lied.

Gejuich en geklap laaien op.

Een van de nonnen maakt het hek open met een grote oude sleutel en laat de aartsbisschop binnen. De abdis overhandigt hem de bloemen, voor Agata.

Weer wordt er geklapt.

De zusters glimlachen, werpen een laatste blik, draaien zich om en verdwijnen. Ze gaan de koninklijke trap op. Hun zwarte gewaden deinen over de marmeren treden. De deur valt achter hen dicht en wordt vergrendeld.

Voor een jaar.

Ze zou meewillen, hun leven leren kennen.

Maar ze laat zich meevoeren door de stroom, de straat uit, richting kathedraal.

'De jongen is dood ja,' zegt een in het wit gehulde man naast haar op het domplein. Zijn zuiverheid symboliserende kleed is bezoedeld met kaarsvet en roet.

De sfeer is anders, zegt hij. Gewoonlijk protesteert iedereen om te voorkomen dat Agata haar kapel in wordt gebracht. Er wordt geroepen, niemand wil afscheid nemen. Nu is er geen verzet. Men is geschokt. Laat haar maar naar haar veilige kapel gaan, weg uit deze wereld vol rampen.

Over een dikke laag zand, zaagsel en kaarsvet wandelt Suzanne naar huis, over leeggelopen ballonnen, stokjes van suikerspinnen en de vertrapte papiertjes met 'Viva Sant'Agata' erop die de afgelopen nacht als vlinders uit de hemel dwarrelden.

Hades en Persephone

'Daar is ze dan,' zegt Roberto, die de deur opendoet. 'De verloren dochter.'

Hij is duidelijk blij haar te zien.

'Wat heb je allemaal meegemaakt? We hebben je op de televisie gezien.'

'Bij de nonnen?'

'Ja, met je neus vooraan.' Hij kijkt vermaakt.

De televisie staat aan. Enrico zit ervoor.

'Is die jongen overleden?'

'Ja. Er zijn voortdurend interviews op de televisie. Iedereen weet precies hoe het anders moet. De burgemeester, de politiecommissaris, alle bestuurders van de stad. Altijd na afloop. Morgen speelt voetbalclub Catania met een rouwband om, dat werd net afgekondigd. Wat heeft die arme jongen daaraan?'

Het was een jonge man, vader van twee kleine kinderen.

Er zijn demonstraties. Ze vinden dat zijn baan aan zijn vrouw moet worden gegeven.

Enrico zit op een stoel en staart voor zich uit.

'Heb je gegeten? We hebben wat voor je overgelaten.'

'Ik hoef niks. Straks met jullie.'

'Tina belde. Of we een tochtje gaan maken naar Piazza Armerina.'

'Leuk. Wanneer?'

'Morgen. Overmorgen ga je toch weg?'

'Ja. En wat zei je?'

'Ik heb gezegd dat ze met jou moet praten.'

'Ga jij mee?'

'Misschien.'

'Dat doen we. Een mooie afsluiting van mijn verblijf.'

'Ze hebben er een bedoeling mee. Slijmen om onder de huur uit te komen.'

'Niet altijd die slechte gedachten.'

'Ik ben een realist. En ze willen duur eten.'

'Als het een goed restaurant is.' Hij had altijd een voorliefde voor luxerestaurants.

'Zal wel een vriendje van hen zijn.'

'Het zal je goed doen. Die villa is zo indrukwekkend. Zie je eindelijk de meisjes in bikini. En het uitzicht bij Enna is weergaloos. Enrico, ga je ook mee?'

Hij schudt zijn hoofd.

De bel.

Enrico doet open. Ze herkent de stem van Tina.

Even later komt ze achter hem aan de salon binnen.

Enrico gaat voor de televisie zitten met een stugge uitdrukking op zijn gezicht.

Beelden van mannen in het wit die over elkaar heen vallen.

'Ach bah, weer die beelden!' roept Tina.

'Lekker spannende televisie,' zegt Roberto. 'Allemaal sensatie. Wie vindt het echt erg dat dit gebeurd is? Alleen die arme vrouw van hem en zijn kinderen. Zijn ouders. Voor de rest is het vermaak en aanleiding voor holle praat.'

'En, gaan we morgen?'

'Lijkt me erg leuk. Roberto heeft er ook wel zin in. Gaat Saro mee?'

'Ja, hij ligt te slapen, is uitgeput van de nacht en aangeslagen door wat er is gebeurd. Het was niet ver bij hem vandaan. Fantastisch dat u meegaat professore, zo ken ik u weer!'

'Om onze *piccola* een plezier te doen.'

'En uzelf. Dan vertrekken we een beetje vroeg morgen. Saro zal zorgen dat hij de tank vol heeft met benzine.'

'Geweldig!' zegt Suzanne als Tina weg is, en geeft Roberto een zoen op zijn wang.

'Ik ben blij dat ik je blij maak. Wie weet krijg ik door jou weer wat leven ingeblazen. Maar ja, overmorgen ga je alweer weg. Die benzine moet ik betalen. Waarom zegt ze het anders zo nadrukkelijk?'

Enrico maakt aanstalten de deur uit te gaan. Zijn broek staat open. Ze wijst hem erop.

'Wat ga je doen?'

'Eten kopen en naar de apotheek.'

Als hij weg is en Roberto naast zijn bed met open mond zit te slapen, loopt ze Enrico's kamer in.

Het is er donker.

Het bed ligt overhoop. Tussen boeken over natuurkunde en medicijnen ziet ze pakken pasta en risotto. Op de grond staat een pak zout naast een jerrycan met water. De luiken van het grote raam zijn gesloten. Ze heeft nog nooit licht in die kamer gezien.

Er liggen beschreven papieren op de tafel. Ze probeert het handschrift te ontcijferen.

Geluid van de voordeur.

Snel loopt ze zijn kamer uit.

Enrico heeft het net gezien.

Hij was iets vergeten.

'Doe je de luiken nooit open?'

Hij zegt niks.

'Dat is toch prettig, wat licht, wat zon in je kamer?'

'Dat leidt me af en mensen kunnen naar binnen gluren.'

Hij gaat zijn kamer in en doet de deur dicht.

Ze is erg moe, gaat op bed liggen en kijkt in een boek over Sicilië.

Ze is blij dat ze toch nog iets gaan ondernemen samen, toch nog naar die plek waar ze lang geleden naar toe zouden gaan.

Als ze haar kamer uit komt ziet ze dat de deur van Enrico's

kamer is dichtgeplakt met breed bruin plakband, waarmee je postpakketten dichtmaakt. Er zijn ook een paar zware hangsloten aan de deur bevestigd.

Als ze zich herinnert dat ze vandaag een tocht gaan ondernemen, is ze meteen klaarwakker. Ze moeten er een mooie dag van maken. Ze zal vrolijk zijn zodat ze hem met mooie herinneringen achterlaat.

Op de wastafel ligt Roberto's gebit.

Ze trekt haar mooiste jurk aan.

Roberto zit onderuitgezakt op een stoel in zijn kamerjas.

'Buongiorno.'

'Buongiorno *cara*,' bromt hij lijdend.

'Hoe is het?'

'Slecht.'

'Wat is er dan?'

'Ik voel me erg beroerd.'

'Na het ontbijt gaat het misschien beter.'

'Ik ontbijt helemaal niet. Ik heb de buren afgebeld.'

'Wat jammer!'

'Heb een vriendin gevraagd om te kijken of er plaats is in het ziekenhuis. Ik moet me laten opnemen.'

'Maar wat is er dan?'

'Het is weer mis. Ik heb geprobeerd naar de wc te gaan, maar tevergeefs.'

'Je hoeft toch niet twee keer per dag?'

'Ik ga hoogstens een keer per vier, vijf dagen,' zegt hij geergerd.

'Komt ook doordat je niet beweegt.'

'Jij kunt gaan.'

'Ik wilde samen met jou.'

'Voor mij is er geen lol aan. Ik was jullie alleen maar tot last geweest.'

'Ik ben hier gekomen voor jou,' zegt ze een beetje kattig, 'maar het heeft kennelijk geen enkele zin.'

'Ik ben een patiënt, later zul je dat beseffen.'
'Ik was zo blij dat je meewilde.'
'Je hebt die mozaïeken al gezien. Je kent Sicilië.'
'Sicilië ken je nooit.'
Zoals hij haar nooit kende.
En zij hem misschien niet.
Hij lijkt er niet slechter aan toe dan andere dagen.
Met een vies gezicht zegt hij: 'Altijd opstaan met die bittere smaak in mijn mond, dat is ook verontrustend.'
'Niemand wordt wakker met een frisse smaak in zijn mond.'
'Het is een teken dat ik niet goed ben. Vittoria zal uitzoeken of er plaats is in het ziekenhuis. Zij heeft contacten.'
Naar Piazza Armerina had ze hem vijftien jaar geleden bijna meegekregen door hem te lokken met de meisjes in bikini. 'Die moet jij toch zien?' Ja, daar had ze wel gelijk in. En misschien waren er ook wel meisjes zonder bikini. Maar weer had hij op het laatste moment gezegd dat hij toch liever wilde eten en dansen in Sant'Elena. Ze had alles al geregeld. Een gids, een restaurant, een hotel.
Dat was de druppel geweest. 'Blijf dan maar slapen! Maar ik ga weg!' had ze geroepen.
Ze was alleen naar die Romeinse villa gegaan met een georganiseerde trip. Ze had de mozaïeken bewonderd en vervolgens was ze doorgereisd naar Enna. Ze had de donkere spelonk gezien waar Hades uit de onderwereld was opgedoken op een wagen van vuur, getrokken door zwarte, onsterfelijke paarden. Daar had hij de mooie Persephone, die bloemen plukte met de nimfen, meegeroofd naar zijn rijk. Zelfs de Zonnegod en Zeus hadden het niet gezien.
Suzanne had de rots van Ceres aangeraakt, Ceres die in het Grieks Demeter heet, de moeder van Persephone. Die rots was een deel van de gigantische tempel voor de grote vruchtbaarheidsgodin, die de aarde liet verdorren van verdriet om haar verloren dochter. De godin doolde rond op

zoek naar haar kind en verlichtte haar pad met twee dennenbomen die ze had aangestoken in de Etna. Ten slotte werd Hades door Zeus gedwongen Persephone vrij te laten omdat de mensheid ten onder ging door hongersnood. De aarde bloeide weer op. Maar Hades had het meisje voordat hij haar liet gaan, een paar zaden laten eten van de granaatappel, waardoor Persephone betoverd werd en een paar maanden per jaar naar de onderwereld moest terugkeren. Zo werden de seizoenen geboren, uit moederlijke liefde. De tempel was een van de grootste heiligdommen voor Ceres van de klassieke wereld. Van heinde en verre kwamen de mensen naar die plek, gehuld in witte gewaden, om haar te eren met brandende kaarsen en manden graan. Daar, vanuit het hooggelegen Enna, de navel van Sicilië, uitkijkend over het eiland dat baadde in het zonlicht en werd omgeven door pastels van zee en nevelen, voelde Suzanne zich in het rijk van de godin.

Dit had ze met Roberto willen delen. Alles had ze geprobeerd, maar tevergeefs. Zij was nieuwsgierig, hij hield het voor gezien. Het was de leeftijd zei hij. Onzin, het was geestelijke luiheid, gebrek aan interesse. Daar had ze genoeg van. Ze paste zich niet langer aan, had geen zin meer in altijd hetzelfde liedje, dezelfde dans. Ze zou de ban verbreken.

De nimfen, die niet hadden kunnen voorkomen dat Persephone werd geschaakt, waren voor straf veranderd in sirenen. Suzanne zou zich niet langer laten bedwelmen door hun gezang.

Nu besluit ze zich te beheersen. Het is tragisch, dit onvermogen.

'Sicilianen zijn bang voor verandering,' zei Käthie lang geleden tegen haar. 'Ze zijn fatalistisch en indolent. Door de vulkaan die alles uitwist, en door al die vreemde overheersers.'

Ze denkt aan Sant'Agata, en blijft rustig. Zij stapt straks

een blijere wereld binnen, hij zakt nog dieper weg in somberheid.

Roberto pakt de telefoon en probeert te bellen, gebogen over het toestel, zonder gebit. Ze ziet de beelden van toen: gebruind, fier rechtop, een uitdagend lichtje in zijn ogen.

'Wie bel je?'

'Madu, om me een klysma te geven.'

Er is nieuws. Er blijkt een plaats voor hem gereserveerd in het Garibaldiziekenhuis. Overmorgen verwachten ze hem. Roberto is erg blij.

Er liggen drollen in het bidet. Poep op de rand van de wcbril, ook op de grond. Roberto zou in een verzorgingshuis moeten. Misschien compenseert Madu die vieze werkjes, het knorrige gedrag, door te stelen.

Later op de dag voelt Roberto zich inderdaad beter. Hij had besloten niet te eten maar doet het toch en hij is er niet meer zeker van of hij zich laat opnemen.

'Tegenwoordig weet je niet meer waar je ziek van wordt,' zegt Enrico. 'Aids, gekkekoeienziekte. Ook met water moet je erg oppassen. Ik denk dat Madu water uit de kraan in de flessen doet.' De deur van zijn kamer is opnieuw dichtgeplakt en vergrendeld.

'Was ik maar neergestort tijdens een van onze dansavonden,' verzucht Roberto.

Hij hield van de snelle nummers en ging door tot hij er net niet bij neerviel. Soms had ze moeite hem bij te benen. Iedereen prees zijn energie.

Op de televisie worden fragmenten vertoond van shows van dertig jaar geleden. Hij herkent alles en iedereen, neuriet melodietjes mee. Dat was zijn glorietijd. De kliniek bloeide en groeide. Daarnaast danste hij, lachte, flirtte, vree, stoof met zijn motorboot vol mooie vrouwen langs de cyclopenkust.

Hij pakt haar hand.
'Kom gauw weer, *piccola*.'

Als ze 's nachts naar de wc gaat hoort ze vreemde geluiden uit de kamer van Roberto komen, een soort geborrel. Het houdt niet op. Ze loopt zachtjes naar de deur en kijkt door de kier.

Ze ziet hem onderuitgezakt bij zijn bed zitten in het schemerduister. De grote zuurstoffles naast hem waaruit een slangetje naar zijn neus loopt.

'Wat een stralende dag.'
De hemel is strakblauw.
'En nu ga je ons weer verlaten.'
Hij duwt de deuren open naar het balkon.
Suzanne ziet de loerende blik van een vrouw, de nicht die hem dood wil hebben. Ze zal denken dat haar oom zijn laatste centen verspilt aan vrouwen.
Na het ontbijt gaat ze nog even de straat op om te kijken hoe de stad erbij ligt na de stormen die erdoorheen zijn getrokken.
Op de Via Etnea zijn mannen weer druk bezig het kaarsvet met vlammenwerpers van het lavaplaveisel te branden.
Het gewone leven komt haperend op gang.
Zc koopt *cannoli*, hct kokcrvormigc Siciliaansc gcbak gcvuld met zoete ricotta waar de oude Grieken al van smulden.
Als ze thuis komt heerst daar paniek want ze kunnen geen taxi vinden.
'Dat is pas voor over drie uur. Laten we eerst eten.'
'Nee, eerst dit oplossen.'
'Desnoods kan Enrico me brengen.'
'De auto is erg vies en staat daar niet veilig,' zegt hij.
'Je kunt meteen doorrijden.'
'Anders met mijn auto,' zegt Roberto.
'Kan niet, de verzekering is verlopen.'
'Gisteren heb je er ook in gereden.'

'Met een verlopen verzekering rijd ik niet,' zegt Enrico beslist.

'Maar ik betaal als je een boete krijgt,' zegt Roberto.

Ze gaan aan tafel voor hun laatste lunch. Pasta alla Norma.

'Wat hebben jullie gedaan?'

'Pijn in mijn buik gehad. Kennelijk is het ontbijt niet goed gevallen.'

'Nu over?'

Hij knikt.

'En jij, Enrico?'

'Op die stoel gezeten.'

'En gemediteerd?'

Hij lacht een beetje.

Als dessert eten ze de cannoli.

'Erg zoet,' bromt Roberto.

'Ik wilde je met een zoete smaak in de mond achterlaten.'

Na een lange stilte zegt hij: 'Het spijt me dat het niet de feestelijkheid was van eens.'

'Dat hebben we in ieder geval gehad.'

'Kwalen en ellende maken een goed humeur onmogelijk. Later zul je dat begrijpen. Maar ik heb het zeer gewaardeerd dat je hier was, weet dat goed. Het maakt me ook droevig omdat ik nog meer besef dat ik niet ben wie ik was.'

Ze lopen mee naar beneden als de taxi er is.

Ze omhelst beide mannen.

'Kom gauw terug, *piccola*. Deze zomer, om te zwemmen. Ik hoop dat het je goed gaat en dat je een goede man vindt. Vergeef me dat ik zulk slecht gezelschap was.'

Ze blijven haar nakijken, totdat de auto om de hoek verdwijnt.

Het vliegtuig heeft vertraging, het is al schemerig als ze opstijgen.

Over de besneeuwde Etna vliegt ze, waar een pluim uit opstijgt donkerder dan ooit, en over de glinsterende kust, over Taormina, dat fonkelt zoals hun leven daar deed.

Augustus

Maria-Hemelvaart

De hitte valt op haar als ze het vliegtuig uit stapt.
Ze heeft alleen handbagage, dus ze kan meteen doorlopen, langs de wachtende mensen tussen wie ze geen bekend gezicht hoeft te zoeken. Eerst gaat ze naar de bar voor een espresso, de bar waar ze zo vaak een laatste koffie dronk met hem. Dan loopt ze doelgericht, als iemand die hier thuis is, naar een taxi.

De geur die ze op straat ruikt, is pijnlijk vertrouwd, een mengeling van stof, gloeiend asfalt en vulkaandamp, zo nieuw ooit.

Over de bekende wegen rijdt ze, langs de haven, het strand, de bloemenstallen bij het kerkhof, door de chaos van de buitenwijken, die langzaam overgaat in het strak aangelegde centrum. Langs vale lavagrijze muren die plaatsmaken voor elegante gevels.

Het is onwezenlijk stil op straat. Met Maria-Hemelvaart is iedereen de stad uit.

De gevels van de belangrijkste gebouwen zijn behangen met de roodfluwelen doeken met gouden A's. Over twee dagen laat ze zich weer even zien, Sant'Agata.

De portier van het hotel helpt haar met haar koffer. Ze duwt hem een biljet in handen zoals Roberto altijd deed.

Het is alsof ze gisteren deze deftige lounge binnenstapte, gisteren in die schemerige bar een aperitief dronk met Roberto. Alleen de gezichten herkent ze niet. Ze is hier zo'n vijftien jaar geleden voor het laatst geweest. Daarvoor had ze hier meerdere malen vertoefd in de winter, als Roberto plichten had in de kliniek. Maar nooit voor lang want zijn dolce vita leidde hij in Taormina.

Daar is toch iemand die ze herkent. De directeur.

Hij herkent haar ook en komt met uitgestrekte hand op haar af.

'*Benvenuta signorina, l'amica del professore Colafiore*. Ach, wat hebben we elkaar lang niet gezien. Il professore?'

'*Morto*.'

Hij kijkt geschokt.

'Ach, dat wist ik niet, signorina. Wanneer?'

'Twee maanden geleden. De laatste jaren hadden we minder contact maar we zijn wel goede vrienden gebleven.'

De directeur betuigt zijn medeleven. 'Hij was een geweldige man, een persoonlijkheid, altijd charmant, elegant, royaal. Hij hield heel veel van u, dat kon je zien.'

'Ik heb ook veel van hem gehouden.'

'Ook dat heb ik gezien.'

Hij begeleidt haar persoonlijk naar haar kamer, die tot haar verrassing een suite blijkt te zijn.

Ze doet de luiken open, waardoor meteen een wolk van hitte de koele ruimte binnenkomt, en kijkt uit over de Via Etnea. Nu staat ze zelf op een van die balkonnetjes die ze tijdens de rondgang van Agata zag uitpuilen van toeschouwers. Nu is zij de toeschouwer, toeschouwer van een voorbij leven.

Ze bergt haar kleren op in de kast, wat zomerjurken en badpakken, dan valt ze neer in een fauteuil.

Het is alsof ze iets verbodens doet. Stiekem in zijn stad komen, zonder hem, zonder dat hij het weet. Het zou hem roeren te weten dat ze deze moeite doet. Er springen tranen in haar ogen. 'Jouw gezicht met een uitdrukking van liefdevolle bezorgdheid zal het laatste beeld zijn van mijn leven.' Dat had hij vaak gezegd.

Niemand weet dat ze hier is.

Ze controleert of ze het nummer van Käthie heeft en hoopt dat die in Taormina is, waar ze gewoonlijk de zomer doorbrengt. Suzanne wil de oude plekken terugzien en misschien kan ze een artikel schrijven over dat lustoord.

Dan staart ze naar Roberto's nummers, dat van zijn huis, de sociëteit, zijn mobiel. Ze is niet in staat om ze te wissen.

Het nummer van Ida heeft ze ook, maar wat voor zin heeft het haar te bellen? Misschien is ze nog in het huis van haar schoonvader.

Een achternichtje van Roberto dat Suzanne één keer had ontmoet, belde haar ruim twee maanden geleden om te zeggen dat het niet goed ging met haar oom. Het nichtje wist niet precies wat er aan de hand was maar wel dat hij was opgenomen in het ziekenhuis.

'Tante Ida zit nu in zijn huis.'

De gehate schoondochter was naar Catania gevlogen om voor Enrico en haar schoonvader te zorgen.

Het nichtje had geen nummer van het ziekenhuis.

Suzanne had onmiddellijk het huisnummer van Roberto gebeld en Ida aan de telefoon gekregen.

'Ik had je telefoonnummer niet,' zei ze. Ze wist van de bijzondere betrekkingen tussen Suzanne en haar schoonvader. Dat nummer had ze zo kunnen krijgen van Roberto.

'Het is een vreselijke toestand. *Papà* is erg lastig. Hij schreeuwt en moppert de hele tijd. Hij wil weg uit het ziekenhuis, maar dat kan hij niet, de stakker.'

'Maar wat is er gebeurd, hoe is zijn fysieke toestand?'

'Hij had zijn enkel gebroken, die zat in het gips. Hij was wel gewoon thuis. Hij vloekte en tierde de hele dag zodat Enrico er genoeg van kreeg en hem een cocktail heeft gegeven van allerlei slaap- en kalmeringsmiddelen. Ze hebben Roberto in een halve coma naar het ziekenhuis gebracht. Het was beter voor hem geweest als hij erin gebleven was.'

'Maar hoe is het nu? Is het levensbedreigend? Zal ik meteen komen?'

'Nee, dat heeft geen enkele zin. Over een poosje, als hij weer op de been is. Maar hij kan niet meer naar huis. Mentaal is hij ook niet in orde. Maar ja, dat was hij nooit.'

Suzanne was geschrokken van de harde toon die Ida aansloeg. Had ze haar dan toch onterecht verdedigd als Roberto kwaad van haar sprak?

'Hoe is het met Enrico?'

'Wat denk je? Hij geeft zijn geld uit aan medicijnen en heeft zich opgeworpen als geneesheer van zijn vader.'

'Kan ik Roberto bellen in het ziekenhuis?'

'Nee, hij heeft geen telefoon en kan alleen maar schelden.'

'Zeg dan dat ik gebeld heb, dat ik meeleef, dat ik hem binnenkort kom bezoeken.'

Dat zou Ida doen. Suzanne had haar telefoonnummer gegeven en gevraagd haar te bellen zodra er iets bijzonders was of de situatie verslechterde.

Ze staat op, pakt een flesje camparisoda uit de ijskast en schenkt in.

De volgende dag had ze Ida weer gebeld en wederom trof haar de harde toon.

'Hij is onmogelijk, laat dokters komen, stuurt ze weer weg, scheldt ze uit. Begint aan een kuur, stopt ermee en begint aan een andere. Soms gaat hij even in hongerstaking. Hij kan nog geen glas zelf pakken maar wel schoppen en schelden. Wie weet wat hij denkt. Hoe hij geld kan uitgeven. Met mij wil hij niet praten. "Jullie stelen alles van me," schreeuwt hij. Wat zou ik moeten stelen, hij heeft alles erdoor gejaagd.'

Ze wilde Roberto zelf spreken en had afgesproken met Ida dat die haar zou bellen met haar mobiele telefoon als ze bij hem was.

'Lieve Roberto.'

'*Piccola*. Nu kan ik niet praten,' had hij kortaf gezegd.

'Ik kom naar je toe.'

'Niet nu. Als ze me hier hebben vrijgelaten.' Hij had afgebroken.

Een paar dagen later vertelde Ida, nadat Suzanne haar gebeld had, dat haar schoonvader de volgende dag ontslagen zou worden.

'Maar hij gaat niet naar huis. Dat is niet mogelijk. Hij gaat naar een bejaardentehuis in de Via Etnea. Zelf weet hij het nog niet. Dan breekt de hel los. Net schold hij ons ook weer uit voor imbecielen.' Ze lacht cynisch.

Twee dagen later belde ze Ida om te vragen hoe de verhuizing was verlopen.

'Suzanne, ja, ik wilde je bellen maar kon je nummer niet vinden.'

'Hoe is het ermee?'

'Niet goed.'

'Wat dan?'

'Roberto is overleden.'

Ze slaakte een kreet.

'Voor ons was het ook onverwacht. Waarschijnlijk heeft hij zich zo opgewonden dat hij een hartstilstand heeft gekregen.'

'Was er iemand bij hem?'

'Nee.'

'Wanneer?'

'Eergisteren.'

'Wanneer is de begrafenis?'

'Die is al geweest, gisteren. Dat was nog een hele toestand. Er waren geen papieren. Er moest van alles worden betaald. Daar had hij natuurlijk niet aan gedacht.'

'Wie waren erbij?'

'Elio en ik.'

'En Enrico?'

'Die heeft zich laten opnemen.'

'Verder niemand?'

'Er was geen tijd. Ja, de priester.'

'Dus er was een kerkdienst.'

'Nee, dat niet, hij was toch atheïst.'

'Wat verschrikkelijk allemaal.'

'Voor hem is het het beste. Er moet erg veel worden geregeld. Elio heeft de erfenis geweigerd want die bestond uit schulden.'

Mijn schoondochter behoort tot de allerverwerpelijkste mensensoort, hoort ze Roberto weer zeggen.

Roberto had verteld, toen hun liefde nog volop bloeide, dat zijn vrouw alles had geregeld. Ze had een tombe gekocht voor hen samen. 'Mijn huisje wacht,' had hij met een lachje gezegd.

Ze had geen telefoonnummer of achternaam van Tina, de buurvrouw. In Roberto's vroegere kliniek werkten allemaal nieuwe mensen.

De volgende dag had ze Ida weer gebeld om te vragen hoe het met Enrico ging en waar ze hem kon vinden. Enrico zat nu in het bejaardentehuis op de Via Etnea waar Roberto heen gegaan zou zijn.

'Hij wilde niet, riep voortdurend: "Ik wil een eigen huisje!"' Ida zei het een beetje spottend. 'Dat kan hij niet, alleen wonen.'

Suzanne stift haar lippen, kamt haar haren en gaat de deur uit, de stad in, zijn stad.

De Via Etnea is nog steeds uitgestorven en de winkels zijn dicht. Aan het uiteinde van de anderhalve kilometer lange straat ziet ze de kathedraal, aan de andere kant de Etna, een roerloze pluim uit de besneeuwde top. Het is of ze alleen thuis is, in een groot verlaten huis.

Op de muur van een palazzo hangt een plakkaat waarop de festiviteiten rond Sant'Agata staan aangekondigd.

De volgende ochtend zal in alle vroegte haar sluier tentoon worden gesteld in de kathedraal. De dag daarna verschijnt ze zelf, voor even.

Suzanne wandelt over het glanzende lavaplaveisel, waarop geen levend wezen is te bekennen. Het is het uur van de siësta. De bars zijn dicht. Langs de Salita di San Giuliano loopt ze, waar de oleanders in volle bloei staan. Het kleurige lichtkasteel is verdwenen. De omhooglopende straat waar een halfjaar geleden de jongen sneuvelde, voert regelrecht de hemel in.

Ook de bar in de Via dei Crociferi waar ze die nacht op Agata wachtte, is gesloten.

Suzanne daalt weer af naar de Via Etnea en loopt in de richting van de vulkaan.

Ze kijkt in de diepte naar de tribunes van het uit lavasteen opgetrokken Romeinse theater. Ze ziet hoe ze daar stond, ze kijkt naar wie ze was, een halfjaar geleden.

Langs de kerk van het rooster komt ze waar Agata haar einde vond, waarna ze heilig werd. De dood kan een heel leven in een ander perspectief zetten.

Waarschijnlijk waren Roberto's laatste momenten vervuld van bitterheid. Langs de boom met de zoete olijven loopt ze, de plek waar Agata gevangen zat. Langs een gebouw behangen met rode doeken met gouden A's, langs een van de supermarkten waar Enrico boodschappen ging doen, langs een van zijn apotheken. Alles is gesloten, ook de winkels in hun straat.

Ze staat stil en knippert met haar ogen. Het huis dat grijs was en afgebladderd, is nu warm oranjeoker. De balkons zijn zilverkleurig. Het is weer het schitterende palazzo van ooit.

De luiken zijn gesloten.

De ene leeuw bij de ingang heeft, net zoals Agata ineens haar borsten weer had, zijn kop terug.

Het bordje met Roberto's naam is weg.

Ze aarzelt en belt.

Geen gehoor.

Ook op de andere bellen drukt ze. Ze hoopt Tina te vinden.

'Famiglia dell'Ave Maria' staat er nog wel te lezen.

Ze belt.

Niets.

Ook de nicht in het naburige huis reageert niet.

Suzanne besluit het de volgende dag weer te proberen. Ze is benieuwd of Roberto nog iets heeft kunnen regelen voor Enrico.

Ze dwaalt wat door de buurt. Jammer dat Roberto niet gezien heeft hoe mooi zijn huis kan zijn, hoe warm en kleurig. Langs het kolossale klooster van de benedictijnen loopt ze.

Een eindje verder staat ze opnieuw bij oude tribunes, zomaar tussen de huizen. Dit zijn de overblijfselen van het Griekse theater. Het theater gaat om vijf uur open leest ze op een bordje. Dat is al over een kwartier. Tegenover de ingang is een bar met een paar tafeltjes en stoeltjes op de stoep.

Ze bestelt een glas amandelmelk, zoet en ijskoud, en pakt haar telefoon.

Nu is er geen risico meer dat ze Käthie stoort bij haar siësta.

Suzanne had haar meteen na Roberto's dood gebeld in Rome. Käthie had lief met haar gepraat en gezegd dat ze ooit in Taormina samen het glas zouden heffen op Roberto.

Ze tikt haar mobiele nummer in.

'Susanna! Hoe is het met je?'

'Ik ben in Catania.'

'Fantastisch. Ik in Messina, moet allerlei dingen regelen maar overmorgen ben ik in Taormina.'

'Daar kom ik ook naar toe.'

'Dan gaan we elkaar ontmoeten. Heb je nog contact met de familie van Roberto gehad?'

'Nee. Ik wil Enrico opzoeken.'

'Hoe is het met hem? Woont hij nog in dat huis?'

'Hij zit in een bejaardentehuis op de Via Etnea.'

'Bejaardentehuis?'

'Ja, het huis waar Roberto aanvankelijk naar toe zou gaan. Ik vind het ook vreemd.'

'Arme Enrico.'

'Ida zei dat hij niet alleen kon wonen, dat dit de enige oplossing was. Roberto was er al bang voor.'

'Waarom zou hij niet alleen kunnen wonen?'

'Inderdaad, toen ik bij hen logeerde ging hij zijn eigen gang, deed boodschappen, kookte.'

'Wat gebeurt er nu met hun huis?'

'Ik weet het niet, ben er net geweest. Het is prachtig opgeschilderd maar niemand doet open. Morgen ga ik naar het bejaardentehuis.'

'Heel goed. Doe de groeten aan Enrico en bel me zodra je in Taormina bent. Dan praten we over Roberto.'

Ze neemt het laatste zoete slokje amandelmelk en gaat het theater in.

De halve cirkel van de tribune rijst voor haar op. Zij staat op de plek waar het drama zich afspeelde. In een deel van het oude theater bevinden zich appartementen waarin het leven van vandaag geleefd wordt. 'Ik wil een eigen huisje,' had Enrico geroepen.

Op school vertaalden ze delen van Griekse tragedies. Het had grote indruk op Suzanne gemaakt dat uit die rare woordjes die eeuwen voor het begin van onze jaartelling waren opgeschreven langzaam maar zeker die zo herkenbare verhalen te voorschijn kwamen. Over noodlot, afgunst, verblinding, hebzucht, wraak. Het was een van de grote aantrekkingskrachten van dit eiland geweest, de aanwezigheid van de antieke wereld die de grens tussen heden en verleden opheft waardoor je je opgenomen voelt in een groter verhaal, gedragen door en verbonden met mythen, goden, helden: Vulcanus en de nimf Etna, Odysseus en de cyclopen, Hades en Persephone, Oedipus en zijn zonen.

Ze klimt de tribune op, zet haar voeten op de antieke stenen, waar vijfentwintig eeuwen geleden al voeten neer werden gezet. Ze gaat zitten op de bovenste tree, in de zon die langzaam verdwijnt, en kijkt naar het lege toneel.

’s Avonds eet ze in het restaurant van het hotel. Er zijn slechts enkele tafeltjes bezet.

Ze bestelt pasta alla Norma. Acqua Fiuggi, het water dat Roberto altijd dronk en ook de wijn die ze vaak namen, Rapitalà.

Als de ober, een vriendelijke oudere man, wijn en water inschenkt, zegt ze: ‘Wat is het stil.’

‘Morgen zal het drukker zijn,’ zegt hij. ‘Voor Sant’Agata komen velen terug van vakantie. Maar dit is niet haar belangrijkste feest.’

‘Ik weet het. Dat is 5 februari.’

‘Precies. Nu wordt herdacht...’

‘...dat haar relikwieën terug werden gebracht.’

‘In 1168 ja. U kent onze Santa,’ zegt de man met een blije uitdrukking.

Ze knikt. ‘Ik ken haar goed.’

Vorig jaar om deze tijd was het slechts raadselachtig geknal in de verte toen ze met Roberto en Enrico aan tafel zat.

‘Dit is het allermooiste feest dat er bestaat.’

Hij lijkt even in vervoering, alsof hij Agata voor zich ziet.

‘En wat is voor u het belangrijkste moment?’

‘Het moment waarop ik mijn kaars aanbied aan Sant’Agata.’

‘U loopt mee in de processie?’

‘Jazeker, in mijn sacco. Al vijfentwintig jaar, en elk jaar vraag ik haar hetzelfde.’

Hij kijkt ernstig. Ze durft hem niet te vragen wat hij vraagt, dat is iets tussen hem en de heilige. Maar Italianen behoren niet tot de meest gesloten mensensoort.

‘Elk jaar vraag ik of het goed mag gaan met mijn dochter.’

‘En, het gaat goed met haar?’

‘Heel goed,’ zegt hij trots. ‘Ze is net vijfentwintig geworden. Dit jaar studeert ze af als scheikundige en ze gaat waarschijnlijk ook trouwen.'

Ze feliciteert hem en hij laat haar weer alleen.

Terwijl ze eet van haar pasta met aubergine denkt ze aan de terrassen aan de zee van Taormina waar nu feestelijk getafeld wordt door vrolijke gezelschappen, muziek gemaakt en gedanst. Twintig jaar geleden en meerdere Maria-Hemelvaarten die volgden waren zij daarbij.

De rode sluier

In alle vroegte, voor zevenen, loopt ze door de Via Etnea, die ze weer geheel voor zichzelf heeft. Het plein voor de dom ziet eruit als een opgepoetste salon. Alles glanst, de gevels, het plaveisel, de roodfluwelen doeken, en zelfs het zwarte olifantje met de obelisk op zijn rug.

Ze gaat de kerk in, die ook verlaten lijkt, op een Agatasnuisterijenverkoper na. De candelore staan stil in het gelid, klaar om straks een kort wiegeldansje te maken.

Dan hoort ze geluid. Ze loopt door, naar voren, naar het altaar. Aan de ene kant ligt de kapel van Sant'Agata, die nu nog vergrendeld is, in de kapel aan de andere kant is een mis gaande.

'Eerder zal een kameel door het oog van een naald gaan dan dat een rijke het koninkrijk der hemelen zal beërven,' leest de priester.

Er zijn zo'n veertig mensen. Oud en jong, man en vrouw. Ze voegt zich bij hen en luistert, geleund tegen de muur. Het meisje naast haar heeft een roze rozenkrans tussen haar vingers waaraan de beeltenis van Sant'Agata bungelt. Na afloop gaan de meeste mensen weg. Zou ze zich vergist hebben, zou die sluier nu niet te voorschijn worden gehaald?

Dan staat een oude man op en begint luid tot Sant'Agata te bidden. Anderen vallen hem bij.

Er staat een jongen in het wit bij de deur van de sacristie, met witte handschoenen, een zwartfluwelen petje en rode sportschoenen. Naast hem een fotograaf. Bij de kapel van Sant'Agata is niemand, terwijl ze verwachtte dat de sluier daar ook bewaard werd, in de diepte, achter zeven deuren. Er staan grote verse boeketten bij het hek.

Jonge mannen met een medaille op hun borst waar Sant'Agata op prijkt, schuiven met de banken. Ze vraagt hun of zij weten waar die sluier vandaan komt.

Dat is geheim, zeggen ze. Zij zetten de banken klaar voor de mis van morgenochtend, als Agata zelf weer verschijnt. Dan pas zal het heel druk zijn.

Met zelfverzekerde stap lopen zes politieagenten voorbij in spectaculaire uniformen en met een pet op hun hoofd. Ze gaan de sacristie binnen. Er hangt een sfeer van spanning en verwachting.

Dan gaat de deur van de sacristie weer open, een man in een loshangend overhemd draagt de in een glazen koker verpakte rode sluier. De zes politieagenten vormen een kordon. Mensen snellen toe en steken hun hand uit om de sluier aan te raken, in een reflex doet Suzanne dat ook. Levende handen glijden over het glas dat die goddelijke sluier omsluit die lavastromen tot stilstand heeft gebracht voor ze dorpen zouden overspoelen.

Ze herkent de aartsbisschop van Catania. Ze zag hem van dichtbij bij de zingende nonnen. Hij zet de koker met de sluier op het altaar.

De agenten vatten post. Het zal niet nog een keer gebeuren dat hun heilige of iets van haar toebehoren gestolen wordt.

Ze draait zich om om de kerk uit te lopen. De zon glanst over het marmeren gangpad. Ook de zwarte Via Etnea lijkt van licht. Terwijl ze in de richting van de vulkaan loopt, stelt ze zich voor dat de lava roodkolkend aan komt rollen. Snoep- en kaarsenverkopers scharrelen rond, opgedoken als ongedierte. Ze ziet alles van een grote afstand, alsof ze op die besneeuwde top staat en dit spektakel zich een paar millennia geleden voltrok.

De klok van het gebouw boven de Romeinse tribunes is zijn wijzers kwijt. Het imposante palazzo gaat voor een groot deel schuil achter stellages. Sporen van de tijd worden uitgewist en het gebouw in oude glorie hersteld.

Bij het standbeeld van Verga, had Ida gezegd.

Achter het beeld van de Catanese schrijver leest ze op een smalle voorgevel in blauwe letters: 'Villa Valeria. Rusthuis voor ouderen'. Het raam is gesierd met de beeltenis van Sant'Agata. De deur staat open. Na enige aarzeling stapt ze naar binnen, en komt in een donkere ruimte waar wat sobere stoelen staan op blauw linoleum. Aan de muur een poster van Sant'Agata en een kalender met een foto van de Etna.

Achter een balie zit een ronde vrouw in een witte jas.

Ze loopt naar haar toe.

'Ik ben een vriendin van Enrico Colafiore, ik hoorde dat hij hier woont.'

De vrouw kijkt vragend. 'Enrico Colafiore?'

'Ja, ongeveer twee maanden geleden is hij hier komen wonen.'

Nog steeds geen teken van herkenning.

'Dat vertelde zijn schoonzuster mij.'

'Die naam zegt me niets.'

'Is er nog een ander bejaardentehuis hier in de buurt?'

'Niet in deze buurt.'

'Hij is een jaar of zestig, groot, beetje gezet.'

Nog steeds kijkt ze wat glazig.

'Wat gek. Zijn vader was overleden en toen is hij hier...'

'Wacht even.' Ze doet een deur open achter de balie en gaat een ruimte binnen. Er klinken gedempte stemmen. Dan komt ze terug met een andere vrouw in witte jas.

'Enrico Colafiore?'

'Ja.'

'Grote, wat dikke man?'

'Ja.'

Ze is even stil, kijkt ernstig.

'Twee maanden geleden?'

'Dat klopt.'

'Die is overleden.'
'Wat? Nee, zijn vader is overleden.'
'Zijn vader zou hier eerst komen, ja.'
'Inderdaad.'
'Die is onverwacht overleden. Toen kwam de zoon, Enrico.'
'Precies ja.'
'Enrico is kort daarna overleden.'
'Nee!'
'Het was voor ons ook een schok.'

Even is ze sprakeloos. Ze valt neer op een stoel.

Ze wist dat het leven je altijd bij de neus neemt, maar hier had ze geen ogenblik aan gedacht. Was ze maar meteen naar Catania gegaan.

Haast ongelovig vraagt ze: 'Maar wat is er gebeurd?'

'Hij kwam een keer niet aan tafel. We zijn gaan kijken op zijn kamer. Daar vonden we hem dood op bed met heel veel pillen op zijn nachtkastje.'

'Maar denkt u dat hijzelf, bewust...?'

'We weten het niet.'

'Dat was niks voor hem. Hij lette juist zo op zijn gezondheid. Hoe was hij, hoe gedroeg hij zich?'

'Erg vriendelijk. Rustig. Hij ging zijn eigen gang, ging de deur uit, kwam terug voor de maaltijden. Hij heeft wel een keer erge ruzie met zijn broer gehad, herinner ik me en hem een fles naar zijn hoofd geslingerd.'

'Weet u waarom?'

'Misschien omdat hij terug wilde naar huis.'

'Maar waarom kon dat niet?'

'Zijn broer en schoonzus zeiden dat hij niet alleen kon wonen.'

'En wat denkt u?'

'Dat wordt soms te gemakkelijk gezegd. In het begin riep hij voortdurend dat hij naar huis wilde. Al snel werd hij rustiger.'

'Kwam er wel eens iemand bij hem op bezoek?'

Ze denkt na. 'Ik zag hem eigenlijk altijd alleen. Er is wel een keer een man geweest, een vriend geloof ik, de voormalige buurman.'

'Even in de veertig? Kort, zwart haar, snorretje?'

'Ja.'

'Zonder vrouw?'

'Hij kwam alleen.'

'Weten ze zeker dat het daardoor komt? Door die pillen?'

'Zijn broer, die arts is, wilde geen autopsie. "Dat heeft nu geen zin meer," zei hij.'

De vrouw kijkt haar bezorgd aan en zegt vriendelijk: 'Er was niets wat erop wees dat dit kon gebeuren. Na zijn opstandigheid van het begin was hij rustig. Hij had een eigen kamer. Daar zat hij veel. Hij had veel studieboeken om zich heen.'

'Dus hij at gewoon mee? Deed niet moeilijk over het eten?'

'Nee, hij deed niet moeilijk.'

'Ook niet over het water?'

'Kan ik me niet herinneren. Hij was aardig tegen de andere bewoners.'

Er komt een heel oud vrouwtje op sloffen de hal binnengeschuifeld. Ze gaat zitten op een stoel.

'Signora Agata, buongiorno.'

'Was hij niet te jong?'

'Vanaf zestig kunnen mensen hier terecht.'

'Dus hij is niet van verdriet gestorven?'

'Hij maakte niet de indruk dat hij het leven niet meer de moeite waard vond. Hij leek net zijn draai te hebben gevonden. Het is hier best gezellig hoor.'

'Er zijn regelmatig avonden met muziek en dans,' zegt de ronde vrouw. 'Er gebeurt hier van alles.' Ze zegt het met een twinkeling in haar ogen.

Suzanne vecht tegen haar tranen. Ze ziet Enrico weer voor zich in zijn donkere pak op de cyclopenrotsen.

Ze neemt afscheid van de vrouwen en gaat naar buiten. Op het bankje onder het beeld van Verga zitten een paar oude mannen geanimeerd te praten. Ze stelt zich voor dat Roberto en Enrico ertussen zitten.

'Ik maak me zorgen over wat er met Enrico gebeurt na mijn dood.'

Ze had altijd gezegd dat het wel goed zou komen.

Ida had weer niet gebeld.

Verdoofd loopt ze over straat.

Als vanzelf loopt ze naar het huis waar ze zo kort geleden nog met Roberto en Enrico verkeerde, langs hun winkels en apotheken.

Ze drukt op de bel maar er wordt weer niet gereageerd, ook van Tina en Saro geen spoor. Ze belt bij de Famiglia dell'Ave Maria.

'Pronto,' klinkt een vrouwenstem.

Ze noemt haar naam. 'Ik ben een vriendin van professor Colafiore. Kan ik even met u praten?'

'Ik weet nergens van. Er is niemand.'

Ze dringt aan.

'De overbuurman. Hij is net overleden.'

'Ik heb nergens mee te maken.'

Misschien is ze bang.

'Wanneer is er wel iemand?'

'De meisjes komen over een week terug.'

'En de benedenburen?'

'Ik ken niemand.'

Ze druipt af, tussen de twee opgepoetste en gerestaureerde leeuwen door.

De stad is volgestroomd met mensen. Ook het zwevende dierenpark is terug. De straten staan vol kraampjes met snoep, suikerspinnen, lichtgevende speeltjes, pannen waar kokende karamel in borrelt met amandelen erin waar op het laatst sinaasappelaroma overheen gaat voor de frissigheid. En kaarsen, overal kaarsen.

De klokken van de kerk beieren luid. Populaire muziek van amateurbandjes begeleidt het wiegelpasje van de candelore.

Als de laatste onder luid getoeter en tromgeroffel, en het lied 'I Saraceni, I Saraceni!' is weggedanst, klinkt er serene muziek uit de kerk.

Maar ze voegt zich niet in de menigte die naar binnenstroomt.

Ze heeft er genoeg van.

Alles irriteert haar: de kinderachtige ballonnen, de kaarsen, de candelore, die dragers met hun misdadigerskoppen. Pooiers. In hun hoofden huizen geen heilige gedachten maar getallen. Getallen waar ze niet rustig maar opgewonden van worden. Niet alleen moet er zoveel mogelijk worden verkocht aan kaarsen, ballonnen, marsepeinen borsten en snoep waar je je tanden op stukbijt, alles hangt van weddenschappen aan elkaar: hoe lang duurt de rondgang van de candelora van de visverkopers, de candelora van de broodbakkers? Hoe laat is Sant'Agata terug in de kerk? Kassa!

De donkere mannen stromen de kerk in, in hun witte jurken, waar dodelijke wapens onder zitten. Ze juichen en schreeuwen zoals ze dat doen voor hun voetbalclub Catania, nu voor hun Catanese heilige.

Alles is dof. Ze voelt zich schuldig dat ze zich vaak zo boos maakte op Roberto. Ze herkent zijn gevoel, dat alles te veel is, dat de dingen die iedereen geweldig vindt je ergeren, juist omdat het je vroeger wel raakte.

Suzanne zit op het terras bij Caprice terwijl de avond zacht en kleverig valt en ze kijkt naar de stoet van mensen die zich hebben opgetut. Ze hebben hun best gedaan met kleren uitzoeken, schoenen, nagels lakken, haren wassen, opmaken.

Hoe vaak had ze dat zelf niet gedaan om het toneel op te gaan, met de opwinding, de spanning die daarbij hoort.

Nu zit ze terzijde. Ze draagt een zomerbroek en platte schoenen. Haar haren zijn verwilderd. Zo kort geleden nog was ze *bambola*.

Overal glanzen de lichtjes en zij voelt niks meer, alleen dat ze niks voelt. Ze beseft dat ze in het moment leefde, toen, met hem. Terwijl hij in het verleden leefde. Ook Agata liet haar leven in het moment, de laatste keer dat ze hier was en hij zich eigenlijk al teruggetrokken had.

Maar dat is voorbij.

Chinezen zitten op de zwarte stoep kleurige windmolentjes te verkopen. Ze voelt iets tegen haar been. Het is een van de dalmatiërs uit de film van Disney. Even later zweeft hij boven haar hoofd.

Een hand, een been, een borst

Heel vroeg in de ochtend loopt ze de kerk in, waar het al druk is terwijl de mis pas over een uur begint.

Op het altaar staat de sluier, bewaakt door nieuwe agenten in uniformen met glanzende knopen en tressen, een helm boven de ernstige gezichten. De hele nacht is er de wacht gehouden bij de sluier die het lot zo vaak ten goede heeft gekeerd.

Ze loopt naar voren, naar de kapel van Sant'Agata.

Iedereen doet waar hij zin in heeft, eet een broodje, propt de speen van een fles melk in een huilend babymondje, telefoneert, zoent. In de zijbeuken wordt de vloer geveegd.

Er zijn veel mannen in het wit bij de kapel van Sant'Agata en er komen er steeds meer bij. Veel van die donkere mannen kussen elkaar als begroeting. Een oude man schuifelt tussen een jongere man en een vrouw in de richting van de kapel, staart naar de foto van de heilige, slaat een kruisje en blijft kijken als in trance terwijl hij zich vasthoudt aan de spijlen. Dan sloft hij weer weg.

Witte mannen blijven toestromen. Suzanne gaat op de verhoging niet ver van het altaar staan, vanwaar ze een goed overzicht heeft.

Het orgel begint te spelen, het koor valt in en zingt over Agata.

Daar is de man die ze gisterochtend zag lopen met de sluier. Nu draagt hij geen loshangend hemd maar een rood gewaad dat met goud is afgewerkt. Hij wordt gevolgd door andere mannen in kleurige habijten en mannen in uniformen. Ook de burgemeester is er weer bij, met de Italiaanse vlag om zijn buik.

Na een korte toespraak begeeft de kleine stoet zich naar de kapel. De witte mannen wijken uiteen.

Het hek gaat open.

Nu dalen ze af om zeven deuren te openen.

Mensen praten, telefoneren.

Het duurt lang.

Tussen de liederen door kletsen de koorleden met elkaar.

Een kreet. 'Cittadini!'

Gejuich weerklinkt, geklap. 'Viva Sant'Agata!'

Gewuif met witte doekjes.

Tranen.

Daar is ze. Door de spijlen van het hek ziet ze de vertrouwde, glinsterende verschijning. Ze betrapt zich erop dat ze een band voelt met Agata en schaamt zich bijna. Ze wordt gedragen op de witte schouders. Handen in witte mouwen worden uitgestrekt om het blonde meisje aan te raken.

Het is alsof ze vaart, licht deinend over de zwartfluwelen zee van petjes, glinsterend, stralend met die geheimzinnige lieve glimlach. Een golf van witte schouders voert haar omhoog, langs haar rode sluier, langs de gewapende agenten, om haar ten slotte neer te zetten op de grote rode troon.

De mensen joelen, klappen, schreeuwen.

'Agata!'

Als een godin zit ze op de troon, onder de schilderingen van de dramatische gebeurtenissen die haar heilig maakten.

Het hek van de kapel blijft open, er zijn nog veel witte mannen binnen. Even later wordt een langwerpig voorwerp omhooggehouden, gehuld in een hoes van rode zijde. De hoes wordt eraf gehaald en brengt een zilveren arm aan het licht. De striptease gaat door, andere lichaamsdelen verschijnen. Een zilveren handje steekt boven de mensenmassa uit, een been, een voet, een borst. Telkens begroet door geklap en gejuich.

Ook de ledematen worden op het altaar neergezet, naast

de sluier, voor de ogen van la Santa.

De grote preekstoel puilt uit van jonge priesters. Ze zingen, lezen. Bidden tot Agata.

'Poort van de hemel.'

'Bid voor ons,' antwoordt de menigte.

'Zuivere maagd.'

'Bid voor ons.'

'Stralende ochtendster.'

'Bid voor ons.'

'Beschermster tegen het vuur.'

'Bid voor ons.'

'Leidsvrouwe over de wateren.'

'Bid voor ons.'

'Redster van Catania.'

'Bid voor ons.'

'Hoop van de werklozen.'

'Bid voor ons.'

'Zegen voor de stad.'

'Zoete troosteres.'

'Hulp van de christenen.'

'Koningin van de martelaren.'

'*Regina bellissima*.'

'Sublieme schoonheid. Ontferm u over ons.'

'Ontferm u over ons,' herhaalt de hele kerk.

'God is liefde, Agata is liefde!'

Buiten ontploffen bommen.

Er klinkt geschreeuw als in een voetbalstadion. Vuurwerk davert en kruitdamp waait de kerk in.

Terwijl het geconsacreerde brood rond wordt gedeeld door de aartsbisschop en de priesters die van de preekstoel zijn afgedaald, worden de mensen bijna platgedrukt.

Als Suzanne de kerk uit loopt ziet ze een stoer ogende man een kushand werpen naar een muur en een kruisje slaan.

Op die muur blijkt een bakje te zijn vastgemaakt met de beeltenis van Agata erop, waar je geld in kunt gooien voor het onderhoud van haar kapel. Het bakje is met geweld opengebroken.

Op het terras tegenover de dom bestelt ze een cappuccino.

Jongens in het wit zitten onder de olifant en roken een sigaret.

Vanavond komt Agata de kerk uit voor een korte rondgang. De markt wordt opgebouwd, het volle leven begint.

Suzanne stapt in een taxi.

'Naar het kerkhof alstublieft.'

Ze rijdt door de stad, de route naar zee. De wegen waarover Roberto haar meevoerde van het vliegveld naar Taormina. Langs de stallen met bloemen waarvan ze al die jaren niet geweten had dat ze voor de doden waren bestemd die rusten achter de lange muur. Ook de cipressen hadden haar niet op een idee gebracht.

Midden tussen de bloemen stapt ze uit.

Ze kijkt rond, speurt naar de rijkste kraam.

De frisse oranje gerbera's, uitbundig en kleurig, zou hij mooi gevonden hebben. Duidelijk, strak omlijnd, een bloem als een kindertekening. Ze aarzelt. De witte rozen zijn misschien subtieler. Of zijn die al te zuiver, al te puur?

Rode rozen ook niet.

'We hebben ook trosrozen.'

De man komt aanzetten met een teil roze trosroosjes. Teer, gevoelig, sensueel. Wit maar ook met rood erdoor, de kleur van lippenstift en bloed.

Die neemt ze.

Intussen wordt het warmer en warmer. In Taormina zouden ze al aan het strand gelegen hebben, naast elkaar onder de parasol, hij met de krant, zij met een boek. Ze loopt langs de muur, langs de andere stalletjes naar de poort, waar engelen de wacht houden en waar zachte muziek haar tegemoetkomt vanuit luidsprekers die in de hoge bomen hangen.

Er zitten een paar vrouwen in het zwart op een bankje. Ze

vertellen haar dat ze een busje moet nemen naar het kantoor waar ze weten waar het graf ligt dat ze zoekt.

Even later rijdt ze in het busje vol andere vrouwen in het zwart met kleurige boeketten in hun armen langs de graven. Er zit ook een oude man tussen met een bos bloemen tegen zich aan gedrukt. Waarschijnlijk heeft Roberto nooit in dit busje gezeten, heeft hij na de begrafenis nooit meer een bezoek gebracht aan het graf van zijn vrouw.

Ze stappen uit bij een oud gebouw onder hoge bomen, die verkoeling bieden aan mensen die op bankjes somber voor zich uit zitten te kijken. Zou het een kerk zijn waarin de laatste woorden worden gesproken? Ze loopt naar de deur en kijkt naar binnen. Ze ziet een rij deuren naast elkaar. Deuren van ijskasten.

Ze zegt tegen een man in overall dat ze het graf van een vriend zoekt maar geen idee heeft waar het zich bevindt.

'Kom maar mee,' zegt hij vriendelijk. 'Het kantoor met het archief is hier niet zo ver vandaan.'

Ze wandelen tussen graven door waar mensen aan het poetsen en schrobben zijn, aan het bloemen schikken of besproeien. Sommige monumenten zijn beschadigd. Meerdere borstbeelden zijn hun hoofd kwijt.

'Ziet er tragisch uit,' zegt ze wijzend.

'De *vendetta* gaat door tot op het kerkhof.'

'Werkelijk?'

'Jazeker. Zelfs de doden hebben geen rust.'

Ze spert haar ogen open van verbazing.

'Tja, signorina, geld, het slijk der aarde. Ze denken dat dat hun leven verandert, accepteren een rolletje in het *malavita* en even later liggen ze dood op de hoek van een straat.'

Hij gaat haar voor naar binnen.

Ze komen in een ruimte waar grote boeken in rijen op de planken staan.

'Wanneer is hij overleden?'

'Twee maanden geleden.'

De man pakt een boek uit de rij en slaat het open. De namen zijn er met de hand in geschreven.
'Hoe heette hij?'
'Roberto Colafiore.'
Hij gaat met zijn vinger langs de namen.
'Nee, het was niet in februari, toen heb ik hem nog in levenden lijve meegemaakt.'
Verder glijdt zijn vinger. Maart, april, mei. Ze ziet ze sneuvelen.
'Ja, hier, Colafiore. Italo Nicola.'
'Nee, dat is hem niet. Hij heette Roberto.'
'Geboren in 1919.'
'Hij was van 1924.'
'Ik denk toch dat het hem is.'
'Nee, de naam en het jaartal kloppen niet.'
Zijn vinger glijdt verder.
'Ja, hier, Colafiore, Enrico.'
Daar staat het, in houterige letters, op het witte lijntjespapier.
'Dat is zijn zoon.'
'Dan is die andere zijn vader.'
'Nee, hij heette anders, dat weet ik zeker en hij was vijf jaar jonger.'
Weer glijdt zijn vinger verder, tot ze op de blanco pagina van het heden zijn beland.
'Misschien is hij niet dood.'
'Jawel.'
Ze lacht een beetje. Hij bedoelde het niet als grap.
'Regelmatig worden daar vergissingen in gemaakt.'
Ze snapt er niks van.
'Waarschijnlijk ligt de zoon bij zijn vader,' zegt ze.
'Nee, het graf van Enrico is eenpersoons.'
Misschien moet ze toch Ida bellen.
De man zoekt verder. Gaat maanden terug, maar zonder resultaat. Hij legt haar uit waar Enrico ligt.

'Ligt hij samen met een vrouw, de oude Colafiore?'

'Dat kan ik hier niet zien. Dan moet ik haar sterfdatum weten.'

Ze belt Ida's mobiel.

'Pronto.'

'Met Suzanne. Ik ben op het kerkhof in Catania. Ben verbijsterd door de dood van Enrico.'

'Ja, wij ook. Ik had je willen bellen... Het is wel het beste voor Enrico. Hij was daar erg ongelukkig, de stumper.'

'Maar hoe kon dit gebeuren?'

'Allerlei pillen door elkaar. Er zijn zelfs pillen tegen polio en medicijnen tegen tumoren gevonden.'

'Daar ga je toch niet zomaar dood aan?'

'En de slaaptabletten die hij zijn vader ook heeft toegediend.'

'Wat vreselijk.'

'Wij vroegen of hij bij ons kwam wonen, maar hij durfde niet in het vliegtuig. Hij bleef maar roepen om zijn eigen huisje.'

'Ik wil zijn graf bezoeken.'

'Er was geen plaats meer bij zijn ouders.'

'Ik kan het graf van Roberto niet vinden. Zijn doopnaam is toch Roberto?'

'Nee, Italo.'

'Dat heb ik nooit geweten. En wanneer is hij geboren?'

'1919.'

'Ik dacht 1924.'

'Je weet toch dat dat de aard van het beestje was, liegen. Hij deed ook alsof hij niet getrouwd was.'

Als het gesprek beëindigd is kijkt Suzanne wat verbouwereerd naar de man.

'Na een sterfgeval staan mensen vaak voor de gekste verrassingen, signorina,' zegt hij kalm. 'Het uur van de waarheid. Laatst nog maakte een bedroefde echtgenote kennis met de nog bedroefdere minnaar van haar man.'

Ze gaat op weg naar Roberto's graf. Het kerkhof is veel groter dan ze dacht.

Wie is de man geweest met wie ze jaren van haar leven zo verbonden leek?

Ze komt langs oude graven, de fraaiste beelden en barokke tempeltjes. Geleidelijk wordt de omgeving minder geruststellend, de vegetatie minder uitbundig en uiteindelijk verdwijnt die zelfs helemaal. Op een kale vlakte staan sobere flatgebouwen waar met grote letters 'Cappella' op geschreven is en dan een naam.

Flats voor de doden.

Na enig zoeken vindt ze het gebouw waar Roberto Italo zijn laatste plekje heeft gevonden.

Tegenover de dodenflat is een gebouwtje met toiletten. Ze gaat naar binnen, kijkt in de spiegel, maakt haar tas open, kamt haar haren en stift haar lippen, zoals ze deed in al die hotels en restaurants om met verse strijdkleuren aan tafel of op de dansvloer te verschijnen.

Hij zei het vaak: 'Maak je mooi! Zo mooi mogelijk!'

Ze loopt de dodenflat binnen. Het ruikt er onaangenaam. Op de betonnen vloer onder een trap staan plastic flessen met water en een grote afvalbak voor verwelkte bloemen.

Ze zet haar in strandsandalen gestoken voeten op de betonnen treden. Vijf verdiepingen liggen rond een open ruimte, de muren zijn bedekt met marmeren platen waar namen en jaartallen op staan. Ze telt de nummers op de marmeren platen en klimt verder omhoog. Het is een vreemde gewaarwording een graf te zoeken hoog boven de aarde.

En dan ziet ze zijn naam, in gouden letters op het marmer. Nu heet hij weer Roberto Colafiore. Zijn beeltenis ernaast in een ovaal stuk email. Ze heeft nog nooit een foto van hem gezien waarop hij zo bitter kijkt. Het zal de keus zijn van Ida. Zelf heeft ze veel foto's waarop hij vrolijk lacht, stoer kijkt of gek doet. Hun fotoboekje zal wel bij de vuilnis zijn beland.

Op de steen ernaast staat een foto van zijn vrouw. Ze zijn geboren in hetzelfde jaar, terwijl hij altijd zei dat zijn vrouw vijf jaar ouder was.

Aan de marmeren platen is een metalen vaasje bevestigd voor bloemen. Ze breekt een stukje van de stelen van de roosjes af, zodat ze erin passen. Ze zet ook een takje in het vaasje van zijn echtgenote. Arme vrouw, altijd verliefd gebleven op haar man. Ze weet nog dat Roberto een nieuw merk aftershave bij zich had. 'Van mijn vrouw gekregen,' zei hij met een lachje. 'Ze zei: "Omdat ik van je houd."' Hij vertelde het met enige verbazing, alsof hij het niet kon geloven.

Hij was haar man en hier liggen ze, bij elkaar.

Waarschijnlijk zal ze hier nooit meer komen. Zou ooit nog iemand anders hem een bezoek brengen?

Ze loopt naar buiten met een takje roosjes in haar hand, op zoek naar het graf van Enrico. Hij blijkt zijn laatste onderkomen te hebben in de allermodernste flat op een andere desolate vlakte waar nog meer flats worden opgetrokken. De zon staat hoog, het zweet druipt van haar gezicht. Op een muur met zeer eenvoudige marmeren plaatjes zoekt ze zijn nummer.

'Er gaat rust uit van nummers,' hoort ze hem weer zeggen.

Zijn foto, zijn naam en twee jaartallen.

Nog geen week heeft hij zijn vader overleefd.

Ze doet wat water in het vaasje dat aan het marmer vastzit en zet het takje erin. Dan gaat ze weer naar buiten en loopt langs bouwputten naar een minder troosteloos gebied.

Ze komt langs een graf dat omhelsd wordt door engelenvleugels. Een moeder en een zoon, gedood door een aardbeving. Een ander graf is bedolven onder rode rozen. 'Gestorven voor Sant'Agata.' 6 februari.

Ze loopt de poort uit, de wereld in, hun wereld.

Caprice

Aan het eind van de middag gaat ze toch weer naar de kathedraal. Ze kan het niet laten.

Er wordt getoeterd, op trommels geroffeld.

De kerk is barstensvol mensen, behalve in de witte sacco ook in keurige pakken en mantelpakjes of strandkleding, bijna bloot, met boodschappentassen en zuigelingen. Boven het geroezemoes uit klinkt de stem van de priester. Ze vangt af en toe wat woorden op. 'Kijk Agata in de ogen! Agata, sterker dan de sterkste man! Gooi je wapens weg! Wapens zijn een teken van zwakte, niet van kracht.'

Het is heet en klam. Overal wapperen waaiers, die de wierook in wolken doen ronddansen.

Twee stromen bewegen langzaam door het gangpad; de ene richting blonde godin op de troon, de andere de kerk uit, de wereld in.

Ze voegt zich in de stroom die zich voetje voor voetje in de richting van Agata begeeft. Het wordt steeds warmer en benauwder. Soms komt de stoet tot stilstand. Mensen stoten tegen haar aan, jongens in het wit dringen voor, alsof ze de eerste rechten hebben vanwege hun jurk.

De stem van de priester galmt.

Ineens draait ze zich om, het is te benauwd, ze krijgt er genoeg van.

Ze voelt zich beklemd tussen al die mensen. 'Massa,' zei Roberto, zich opwindend over de volksstammen die zijn Taormina overspoelden, waar vroeger slechts een klein groepje uitverkorenen zich vermaakte. Ze had zich toen vaak aan hem geërgerd. Nu begrijpt ze hem.

'Agata! Agata!'

'Susanna!'
Ze draait zich verbaasd om.
'Maria!'
De secretaresse van Roberto uit de kliniek. Ze is niet veel veranderd. Haar zwarte haren draagt ze nog steeds strak naar achteren, iets meer lijntjes in haar gezicht.
Ze omhelzen elkaar.
Ook zij was op weg naar buiten.
De eerste keer dat Suzanne Maria zag was twintig jaar geleden in de Villa Normanna op het feest dat Roberto had georganiseerd ter ere van haar vijfentwintigste verjaardag. Roberto sprak altijd aardig over Maria. Roberto en Maria flirtten een beetje met elkaar, maar onschuldig.
Maria had ook een aanval van benauwdheid gekregen in die overvolle kerk en wil naar buiten.
Aan de voeten van een beeld van een kardinaal vinden ze een plekje waar ze adem kunnen halen en bewegen zonder tegen iemand aan te stoten.
Het is al donker. Het plein is verlicht door lantaarns.
Ja, Maria wist van Roberto's dood. Ze hadden weinig contact sinds hij de kliniek had verlaten. Roberto had zich ook uit het mondaine leven teruggetrokken. Zelf werkte ze intussen in een andere kliniek.
Suzanne vertelt dat ze niet zo lang geleden bij hem had gelogeerd. 'Hij was somber en bitter.'
'Ach, wat tragisch. Ja, ik hoorde wel eens iets van Fausto, een verpleegkundige uit de kliniek die hem wilde helpen thuis, maar hij was afwerend. En hoe is het nu met Enrico?'
'Enrico is ook overleden.'
'Overleden?!'
'Een week na zijn vader.'
Suzanne vertelt wat haar ter ore is gekomen.
'Arme Enrico. Hij is vaak opgenomen geweest bij ons in de kliniek. Hij was een beste jongen, deed niemand kwaad.'
'Hij was toch niet iemand om zelfmoord te plegen?'

'Dat lijkt me niet, nee.'
'Maar ga je dood aan pillen tegen polio en tumoren?'
'Niet zo gauw.'
'Ik begrijp het niet. Elio wilde geen autopsie. Wat vond je van Elio?'
'We dachten allemaal dat hij de kliniek over zou nemen, maar het boterde helemaal niet tussen vader en zoon. Hij had volledig andere ideeën.'
'Vond je hem aardig?'
'Hij was veel koeler dan Roberto.'
'Had hij echt zulke rare ideeën?'
'Hij was wat zweverig, hield zich bezig met parapsychologie. Dat was niks voor onze Roberto.'
'Die was soms wat al te nuchter misschien. En was hij niet te kwistig met pillen?'
'In sommige gevallen kunnen alleen medicijnen helpen, haalt praten niks uit. Ook daarover had hij conflicten met Elio.'
Gejuich, geknetter van vuurwerk.
Agata verschijnt in de deuropening van de dom.
Ze gaat nu niet met haar zilveren koets door de stad maar wordt op de schouders gedragen, een kring mannen eromheen met lantaarns die een gouden licht verspreiden.
Maria veegt een traan weg.
Ze kijken naar het vuurwerk, dat een dak van wisselende kleuren boven hen uitspreidt als het plafond van een oosterse tent. De roodfluwelen doeken vormen het behang.
'Ga je even mee naar Caprice? Laten we een glas drinken op ons weerzien.'
'Een heel goed idee.'
'Roberto kijkt toe en lacht tevreden. Ach, hij was zo aardig, gunde iedereen het beste.'
Ze wringen zich tussen de massa door.
Maria wordt hartelijk begroet door de vrouw achter de kassa, de man achter de marsepeinen borsten, de man achter

de bar, de man bij de gevulde sardientjes en pasgeborenen-poffertjes.

Maria stelt haar voor. 'Mijn vriendin Suzanne.'

'We kennen haar. U komt hier al heel lang.'

Suzanne is verbaasd.

'U was bevriend met professor Colafiore.'

Ze dacht dat ze hier altijd in volledige anonimiteit naar binnen en naar buiten was gelopen.

Misschien was het deze man die bij het eerste bezoek, twintig jaar geleden, een amandelkoek voor haar had neergelegd toen ze zat te huilen bij Roberto.

Hij begeleidt hen naar een tafeltje en vraagt waar ze zin in hebben.

Ze bestellen een camparisoda en wat hapjes.

'Hun ouders waren vrienden van mijn ouders,' vertelt Maria. 'Hun tien kinderen drijven deze zaak.'

'Maar dat hij dat nog weet. Ik ben hier maar twee keer geweest met Roberto.'

'Jullie waren een opvallend stel, en een van de broers is een periode opgenomen geweest in de kliniek.'

Daar is la mamma, die de tien mensen die hier werken heeft gebaard. Ze zet de glazen met het rozerode drankje voor hen neer en drukt dan Maria aan haar royale boezem.

'Dit is Suzanne. Vriendin van professor Colafiore.'

'Ach, professore Colafiore, die is toch onlangs overleden? Wat een bijzondere man. Warm, betrokken. Hij heeft veel betekend voor onze Carlo. Altijd bemoedigend, vol grapjes.'

'Hij was een geliefd arts,' zegt Maria als de vrouw weg is. 'Hij had iets vaderlijks, geruststellends voor zijn patiënten. Hij ging vriendschappelijk om met het personeel. Zo was hij, niet arrogant. Hij kon wel driftig worden als iemand een steek liet vallen, dat kwam door zijn verantwoordelijkheidsgevoel.'

'Roberto had het er vaak over dat hij voor de gek gehouden is bij de verkoop van zijn kliniek.'

'Hij heeft de kliniek voor veel te weinig geld verkocht, dat is zo. Hij heeft zich niet goed laten voorlichten. Het kan best zijn dat hij daarna geldproblemen had.'

De moeder zet *arancini* voor hen neer, balletjes van risotto gevuld met gesmolten kaas, een specialiteit van deze streek.

Maria neemt een hap.

'Heet genoeg?' vraagt de vrouw.

Ze knikt. 'Als lava.'

Suzanne begint opnieuw over Enrico. 'Roberto herhaalde voortdurend dat hij bezorgd was over wat er met Enrico zou gebeuren na zijn dood. Hij lag ervan wakker. Hij zei dat hij Elio en Ida volstrekt niet vertrouwde. Ik dacht dat dat waanideeën waren.'

'Hij was goed in diagnoses.'

'Hij zei dat Elio en Ida het appartement in wilden pikken. Dat ze Enrico zouden opbergen in een gesticht. Maar zo'n rusthuis zal ook wel wat kosten.'

'Behoorlijk wat. Ik begrijp wat je bedoelt.'

'Ik hoop de buren te spreken. Nu is iedereen weg. Morgen ga ik naar Taormina, kijken wat er van de Villa Normanna is geworden.'

'Wat een paradijs was dat. En die geweldige butler, Alfio, leeft die nog?'

'Ik weet het niet. Ik ga het uitzoeken en zal het je vertellen.'

Maria belooft dat ze een keer bloemen zal neerzetten bij Roberto's graf.

Eiland in de hemel

Het is te vroeg om haar vingers te branden aan de pinautomaat. De zon ligt al wel op de loer. Er spat nog geen water op de billen van Persephone. Men is in deze hete tijden zuinig met water en daarom spuiten de fonteinen maar een paar uur per dag.

Ze stapt in de trein naar Taormina en rijdt weg uit de grote stad naar de plek waar ze thuis was. Vaak had ze tegen Roberto gezegd als hij klaagde omdat hij geen auto meer durfde te rijden, dat hij heel gemakkelijk met de trein kon gaan. Ja, je hebt gelijk, zei hij, maar hij had het nooit gedaan.

In de coupé zitten alleen buitenlanders. Regelmatig verdwijnt de trein in een tunnel, uitgehakt in de rotsige kust. Na de stukken door het duister wordt de wereld steeds kleuriger, de bloemen bonter, de zee blauwer, en ruiken de geuren die door de openstaande ramen binnendringen kruidiger en zoeter. Ze rijdt het decor binnen waarin een bewogen stuk van haar leven zich heeft afgespeeld.

Nog steeds heeft Suzanne het gevoel dat ze iets verbodens doet, dat ze stiekem aan Roberto's spullen zit door hier alleen te komen.

Ze hoopt dat ze voor haar vertrek naar Nederland nog kan binnendringen in Roberto's huis. De meisjes spreken van de Ave-Mariafamilie of Tina opsporen. Die moeten haar toch meer kunnen vertellen over de laatste weken van Roberto's leven en over Enrico. Elke keer was ze geïrriteerd als Roberto zei dat het na zijn dood mis zou gaan met Enrico. Roberto keek zo blij toen ze zei dat zij wel een beetje op hem zou passen.

Af en toe stoppen ze op een klein station. Giardini Naxos,

de eerste Griekse nederzetting op Sicilië, waar ze gingen dansen. 'Dit is een heel raar vrouwtje,' had hij tegen zijn vrienden gezegd. 'Ze heeft meer interesse voor oude stenen dan voor dansvloeren.' Ze genoot van het dansen maar ze wilde ook de opgravingen zien.

Een keer was het haar gelukt hem mee te krijgen naar de tempelvallei van Agrigento. Ze had hem gefotografeerd terwijl hij tussen de zuilen van de Zeustempel uitkeek over zee. Ook die foto zat in het boekje. Het was een mooie dag geweest en hij was blij dat ze hem ertoe gedwongen had. Onder leiding van zijn moeder hadden ze met het gezin wel zulk soort uitstapjes gemaakt, maar na haar dood gebeurde dat niet meer. En toen moest hij naar het front.

Station Taormina. Na de oorlog begon het leven hier opnieuw en heviger dan ooit, net zoals na de vernietigingen door de Etna. In sprookjesvilla's, op sprookjesfeesten, met vuurwerk en champagne werd het leven gevierd, en Roberto deed daar enthousiast aan mee.

Daar is de mozaïekvloer van het perron, het fraaie houten afdak waaronder ze op zijn schoot zat die eerste keer dat hij haar naar de trein begeleidde, na hun eerste ontmoeting, zo verrassend vertrouwd. Hij had gezwaaid met zijn witte zakdoek toen ze met de nachttrein naar Rome reed, waar ze toen woonde. Het weekend daarna was ze alweer hier. Een taxi haalde haar op en bracht haar naar de villa op de top van de berg.

Nu is er niemand die op haar wacht en niemand weet dat ze hier is. Er staan geen taxi's, maar elk halfuur gaat er een bus wordt haar verteld.

Bij de halte wachten Duitsers, Amerikanen en Russen. Die laatsten heeft ze hier nooit eerder gezien. De bus is zo vol dat ze moet staan, en het uitzicht wordt belemmerd door dikke buiken, roodverbrande armen, rugzakken en baseballpetjes. Ze beseft dat Roberto haar vertroeteld heeft. 'Daar gaat het me niet om, om die luxe! Ik wil dat je naar me luistert, naar me kijkt!' Toen ze een oudere vriendin over hun ruzies verteld had, had die geglimlacht en gezegd: 'Ach, je bent zo jong.'

Ze stapt uit bij het Isola Bella.

Eerst wil ze de zee in, daarna pas gaat ze naar Taormina-boven, naar haar hotel. De zee heeft haar al zo vaak getroost. Misschien loopt ze Käthie wel tegen het lijf. Die ging hier vaak lunchen in een restaurant aan het strand.

Met haar koffertje daalt ze de lange trap af; geen badman die haar helpt zoals ze gewend was.

Ze drapeert haar handdoek op het strand van kleine witte keitjes. De strandbedden zijn allemaal bezet. Ze wil de grond voelen, de aarde. Voor haar ligt de groene heuvel van het eiland, dat ooit een toverberg was. Het is eigenlijk geen eiland meer omdat het nu door een dunne dam van zand verbonden is met de oever. Vroeger moesten ze er altijd per boot naar toe, vertelde Roberto, of zwemmend. Een keer had Käthie na een feest in Taormina-boven hier met twee van haar al even beeldschone zusters in avondjurk door het water gewaad. Ze waren zwaar beneveld en door het lachen rolden ze regelmatig om en raakten kopje-onder zodat het bijna de hele nacht duurde voordat ze het eiland hadden bereikt.

Suzanne ontdoet zich van haar jurk en strekt zich uit in haar badpak. Het is prettig om de zon op haar blote huid te voelen.

Maar ze is hier in een leven dat niet van haar is, een leven waar ze eens bij hoorde maar nu niet meer. Het is of ze onaanraakbaar, onontroerbaar is geworden. Zo was Roberto ook geweest. Maar ze had weer sterke emoties in hem wakker gemaakt. Ze was door al zijn muren heen gebroken.

Ze kijkt naar dat prachtige eiland waar zo nostalgisch over gesproken werd, die toverberg die toen al onttoverd was.

De villa, die vroeger verborgen lag in de bloemenweelde, is te voorschijn gekomen doordat planten en bomen dood zijn gegaan of geroofd. Jongelui liggen op handdoeken aan de voet van het eiland onder parasols die ze hebben meegenomen van huis.

Suzanne gaat de zee in en zwemt. Het is prettig in het water en prettig in de zon. Roberto had haar laten kennismaken met een zinnelijk oerbestaan. Hier had Suzanne leren leven in het moment.

Nu staat ze er weer naast en kijkt naar haar vroegere leven.

Het is een eiland van schimmen. Niet alleen het Isola Bella, heel Sicilië. Ze zwemt om het eiland heen, langs de haven waar Roberto naar binnen voer. 'Het is beklemmend dat het leven voortdurend verandert,' had hij vaak gezegd.

De laatste keer dat ze zwom was rond de cyclopenrotsen toen Enrico de wacht hield in zijn donkere pak.

Ze klautert de lange trap op en loopt in de richting van de kabelbaan. Ze komt langs de ingang van Villa Sant'Elena, die zomers lang haar tweede huis was en waar niemand haar meer kent. Iets verderop Sea Palace, een ander tweede huis.

Ze loopt naar het station van de kabelbaan, dat groter en moderner is geworden. De tamelijk krakkemikkige cabines zijn vervangen door fraaie, ronde glazen bollen.

Ze gaat op het ronde bankje zitten, schuift op voor twee Amerikaanse echtparen en een jong Frans stelletje in korte spijkerbroek. Langzaam stijgt ze op in deze bel met om zich heen diezelfde wereld, de zee beneden en de droomhotels. De andere luchtbellen die boven en onder haar opstijgen nemen in de weerschijn van de zon alle kleuren aan.

Ze ziet weer hoe ze hier stond met Roberto in zijn witte pak. Over de zeventig was hij al en hij nam haar mee naar de mooiste dansvloeren.

Beelden van een vroeger leven ziet ze, als weerkaatst in deze bol.

De Amerikanen praten te hard.

De bel barst open en ze staat hoger op de Monte Tauro, aan de rand van het stadje. De zee en de hotels liggen nu ver beneden in de diepte.

Grote borden prijzen '*very cheap pizza's*' aan. Drie souvenirwinkels op een rij puilen uit van kleurig Siciliaans keramiek, asbakken van lava, kalenders, video's van vulkaanuitbarstingen. En weer pizza's, voor een paar euro. Winkels met zonnebrillen, met badkleding, met koffers. Een bar. Ze heeft dorst en bestelt een *spremuta d'arancia.* Sinaasappelsap. In een schaal liggen grote sinaasappels, die waarschijnlijk net hier in de buurt geplukt zijn. Wat afwezig wordt het glas voor haar neergezet, het sap komt onmiskenbaar uit een pak.

Wee wordt ze, misselijk als wanneer je te veel marsepein gegeten hebt, te veel amandelmelk gedronken, te veel *cannoli siciliani.* Ze verlangt naar het zwarte strand van as en gestold vuur, in plaats van dit zilverwitte van ansichtkaarten voor tuttige tantes.

Ach, wat doet ze hier? Het is voorbij, voorgoed voorbij. Basta. Roberto was een ouwe vent die haar vaak ongelukkig heeft gemaakt. Zij heeft de mooiste jaren van haar leven aan hem gegeven. Basta. Maar meer dan vijf jaar was dit het centrum van haar bestaan geweest en de vijftien jaar daarna was ze altijd verbonden gebleven met Roberto. Ze heeft van hem gehouden en hij van haar. Ze wil tijd nemen voor het afscheid.

Vaak ergerde ze zich aan Roberto als hij voor de zoveelste keer zei dat hij wakker lag van de zorgen om Enrico. Nu maalt het voortdurend door háár hoofd: wat is er gebeurd?

Daar is de weg die naar de Villa Normanna voerde. Zou die villa nog bestaan? Zou Alfio nog leven? Ze wil naar die plek. Nog één keer. Misschien kan Alfio haar meer vertellen.

Door de oude poort loopt ze de Corso in, de autoloze hoofdstraat vol galeries, boutiques en bars waar ze bijna elke dag flaneerden en waar ze in haar eentje liep als Roberto in Catania was, in zijn kliniek, in zijn huis bij zijn gezin, toen die andere wereld van hem volstrekt abstract voor haar was.

'Ik wil niet dat de mensen naar je kijken,' zei hij. 'Op je verjaardag krijg je een sluier. En meteen ook maar een ketting om aan je enkel vast te maken zodat je nooit meer weg kunt.'

Het lijkt haar nog toeristischer geworden, maar destijds lette ze misschien vooral op Roberto.

Ze loopt door smalle straatjes met kleurige huizen, van bloemen uitpuilende balkons, pizzeria's, souvenirwinkels, bars, maar ook, hoe verder ze van de hoofdstraat vandaan raakt, met winkels die groente verkopen, fruit, een bakker, een viswinkel. Ze denkt aan de mooie zachte winters dat ze hier thuis was, boodschappen deed als Roberto in Catania verbleef. Weinig toeristen waren er dan, ze hoorde bij de mensen van dit plaatsje.

In een stil straatje vindt ze Villa Armonia. Een boekje over Taormina vertelde dat het een eenvoudige en sfeervolle plek was in het hart van het stadje.

Ze stapt binnen in een soort kleine huiskamer met een paar stoelen, een bureau, een televisie en heel veel schilderijen aan de muur. Na enige tijd verschijnt er een man in een bermuda met een vriendelijk, knap gezicht.

'Ik heb een eenpersoonskamer gereserveerd.' Ze noemt haar naam.

Hij denkt even na.

'We hebben een gewone kamer vrij maar ook een appartementje op het dak. Dan moet je wel veel trappen op.'

'Sfeer is het belangrijkste.'

Hij glimlacht.

'Heeft het uitzicht?'

'Driehonderdzestig graden.'

'Geweldig. Dat is precies wat ik zoek!'

'Alleen met vakantie?'

'Ik kom afscheid nemen van een tijd.'

Hij kijkt haar ernstig aan, vindt het niet gek.

Een oude vrouw komt uit dezelfde aangrenzende kamer.

'Mama, het aquarium is toch vrij?'

'Aquarium?'

'Het is van glas.'

'Dat is vrij, ja.'

Hij praat even met zijn moeder over de prijs. De moeder kijkt naar haar met sympathie en noemt een schappelijk bedrag.

De man wil haar helpen met de koffer maar dat slaat ze af. Ze gaat liever alleen. Hij geeft haar de sleutels.

Het zijn inderdaad veel trappen, maar haar klim wordt opgefleurd door vazen met bloemen en kleurige schilderijen.

Een laatste trap klautert ze op, een smeedijzeren wenteltrap, en dan is het of ze terug is in een oude droom: de baai van Taormina aan haar voeten, de vulkaan tegenover haar en naast haar het Griekse theater, waar ze zoveel onvergetelijke voorstellingen heeft gezien.

Betoverd blijft ze staan.

Midden op het terras staat een huisje van glas. Meer een serre eigenlijk dan een aquarium.

Ze maakt de deur open.

Er staat een groot bed, omringd door het uitzicht. Er zijn gordijntjes die de wereld buiten kunnen sluiten maar dat wil ze niet. Alleen engelen en goden kunnen hier binnengluren.

Ze hangt haar kleren in de kast.

Hier kan geen vijfsterrenhotel tegenop.

Ze gaat op de luie stoel zitten op het terras. Er is geen ijskast om een camparisoda uit te halen maar ook water is goed. 'Het beste wat er bestaat,' zoals Roberto altijd zei.

Het is stil.

Ze voelt zich thuis bij de Etna, die haar zo lang gezelschap heeft gehouden.

Dit is hetzelfde gebleven, dit mythische decor en ook haar ontroering.

De lucht begint al te verkleuren boven de zee. Een bruinige sliert boven de Etna bezoedelt de pastels. Er is toch iets veranderd. Ze kijkt goed: de vulkaan is veranderd. Er is een krater bij.

Luchtbellen

Ze gaat de trap af, weg uit dit eeuwige decor, naar het gewoel van de toeristen, naar een toneel zonder tegenspeler.

Ze is opgemaakt, gekapt en mooi gekleed maar ze is niet meer geboekt voor een voorstelling, staat niet op de speellijst, ze is een actrice uit een toneelstuk van vroeger.

De eigenaar van het hotel zit met zijn moeder televisie te kijken.

'Schitterend, dat aquarium.'

Ze vraagt of de man weet of het Griekse theater te bezichtigen is en hoe laat het opengaat.

'Een vriend van mij werkt daar. Als je morgenochtend voor negenen bij de ingang naar Graziano vraagt heb je het theater voor je alleen.'

'Wat heb je een mooie jurk aan,' zegt de moeder. 'Zeker een romantische afspraak.'

'Nee, ik heb geen afspraak.'

De vrouw is verbaasd en geeft haar de naam van een goed en hartelijk familierestaurant. 'Daar voel je je niet alleen.'

Suzanne loopt door de Corso, die vrolijk verlicht is, langs winkels, bars en restaurants vol verleidingen. Langs La Giara, de nachtclub annex restaurant waar ze tafelde en danste met Roberto en waar hij vertelde over zoete nachten van dertig jaar daarvoor op dezelfde plek, met filmsterren, regisseurs en scheepsmagnaten. Die tijden waren voorbij zei hij, de tijden dat de elite, de jetset van kunstenaars en gefortuneerden, het rijk alleen had in Taormina.

Net als toen gaat ze een aperitief drinken bij Mocambo, het bekende café met het grote terras en het weergaloze uitzicht.

Ze ziet een man die ze herkent, de boekhandelaar. Hij staat voor de open deur van een winkel met reproducties.

Hij is verrast haar te zien, komt naar haar toe en geeft haar een hand. Het ontroert haar een gezicht uit het verleden terug te zien, dat niet álles is veranderd. Maar zijn boekhandel is verdwenen. Van boeken kon hij niet meer leven, vertelt hij gelaten en haast schuldbewust.

Ze kijkt naar de Etna, het Griekse theater, de watervallen bougainville; in fotolijstjes, op kalenders, agenda's en asbakken. Die lange zachte winters was ze vaak bij hem binnengelopen om werken van Siciliaanse meesters aan te schaffen, zoals Verga, Pirandello, Camilleri, Sciascia, Brancati, Lampedusa, Stesicoro.

'Nee, daar is geen vraag meer naar. Alleen gidsen van Taormina verkoop ik nog, met de lijst van restaurants en bars.'

Als ze even later gaat zitten op het terras van Mocambo komt de eigenaar met uitgestrekte hand naar haar toe om haar te begroeten, zoals hij dat twintig jaar geleden met Roberto deed toen zij een anonieme jongedame aan zijn zijde was. Roberto had haar die eerste keer verteld dat de vorige eigenaar bij hem in de kliniek opgenomen was geweest, maar na zijn ontslag voor de trein was gesprongen omdat hij het niet kon verdragen dat hij zijn prachtige café, dat zijn wereld was, had moeten verkopen.

Ja, hij wist het, van de professore.

'Een groot man, altijd vriendelijk en heel royaal.'

Ze drinkt een camparisoda en kijkt naar de mensen die langsstromen. Groepen, heel veel groepen, verstoken van elke charme. Het woord 'flaneren' is niet op hen van toepassing. Dat fenomeen had ze hier leren kennen, het ontspannen wandelen, niet om je gericht naar een bepaald doel te begeven, maar om het wandelen zelf, langzaam, loom, liefst bij het vallen van de avond, in mooie kleren, om te kijken en bekeken te worden, soms onderbroken door een korte conversatie met een bekende. Wat deze hordes doen lijkt meer op sjokken, van hotel naar restaurant of van restaurant naar bezienswaardigheid, omdat iemand dat zo voor hen heeft uitgestippeld.

Naast die trage stroom ziet ze twee oude bekenden, die heftig tegen elkaar staan te oreren. De eigenaar van La Giara en de eigenaar van een modezaak waar Roberto heel wat creaties voor haar had aangeschaft. De modeman, altijd ogend als een model, is dikker geworden. Hoe verfijnd zijn kleren ook zijn, de elegante verschijning is weg. En de eigenaar van La Giara heeft geen zwarte krullen meer maar grijze. Zou hij daarmee nog net zoveel buitenlandse vrouwen veroveren?

Ze denkt aan al die beroepsverleiders hier. Ze gebruiken de plek, de zon, het theater, de bloemen, de muziek, de vulkaan. En de vrouwen, inclusief zijzelf, zijn zo stom de man te belonen voor al die schoonheid en hevigheid. Alsof hij het allemaal zo heeft gedrapeerd.

Ze praten met veel bewegingen van hoofd, armen en handen. Ze praten net zoals twintig jaar geleden.

Mensen fotograferen elkaar, de Etna op de achtergrond.

Ze daalt af in een donkere bel waarin een verliefd Spaans stelletje zachtjes lispelt. Beneden haar flonkeren de lichtjes van de baai.

De bellen spatten open en de mensen wandelen over een loper van groen namaakgras naar de droomlokalen bij de zee.

En dezelfde muziek stijgt op van de terrassen en mensen vallen zacht in elkaars armen.

Ze loopt langs de slagboom van Villa Sant'Elena, die altijd meteen openging als Roberto zijn naam had genoemd, en wandelt over de lange oprijlaan naar beneden, tussen geurende bloemenstruiken door. Dan gaat ze de trappen af, de mediterrane tuin in, die door onder bladeren verborgen lampjes en ruisende waterpartijen betoverd lijkt. Een geur treft haar zo, dat de tranen in haar ogen springen. Vaak was ze gelukkig als ze hier afdaalde aan zijn zijde. Het was niet alleen het decor. Dan zou hij haar hebben gestoord. Bederf mijn uitzicht niet. Nee, ze wilde hem als tegenspeler, het decor stond in hun dienst.

Er klinkt zachte muziek. De vleugel staat klaar maar een pianist is niet te zien.

Op het grote terras zitten veel minder mensen dan ze had verwacht.

In het bargedeelte met de lage tafeltjes zit bijna niemand en het gedeelte onder de hoge palmen waar 's avonds werd gedineerd is tot haar teleurstelling niet verlicht.

Alleen de tafels aan de andere kant van het terras, het gedeelte dat gewoonlijk bestemd was voor de lunch en het ontbijt, zijn bezet.

Ze loopt erheen.

Er is geen enkele ober die ze kent.

Een jongeman komt naar haar toe.

'Jammer dat het daar dicht is.'

'We hebben problemen met de verlichting.'

Ze blijft hier wel eten.

'Eén persoon?'

Daar is toch een ober die ze kent. Hij herkent haar en komt naar haar toe. Hij lijkt aangedaan. Ook voor hem worden er andere tijden opgeroepen. Hetzelfde vriendelijke gezicht maar duidelijk dikker geworden. De ranke jongeling van toen ziet er nu uit als een tevreden familievader.

Meteen wijst hij haar het mooiste tafeltje, aan de rand van het terras met uitzicht op de vertrouwde baai en het strand.

'Ach, is de professor overleden?' Hij kijkt melancholiek. 'Al jaren kwam hij niet meer.'

'Eerst dacht ik dat er geen enkele bekende meer was.'

Alles is veranderd. De Maltese eigenaar die de villa had overgenomen van de Engelse familie, heeft de zaak verkocht.

'Het hotel hoort nu bij een keten,' zegt hij dof.

Dit soort conversaties had ze Roberto zo vaak horen voeren. Hoe is het met die? En is die nog hier? Andere eigenaar. Nieuwe functie. Overleden. En zij had erbij gezeten als het prinsesje voor wie het allemaal even mooi was en sprookjesachtig, maar dat hem tot zijn verbazing en schrik aanvloog als hij te veel verzonken raakte in zijn eigen wereld.

'Ik hoorde dat het andere restaurant gesloten is; jammer, dat is de mooiste dineerplek van Italië.'

'Tja, de bloeitijden zijn voorbij.'

'Is het daarom dicht?'

Hij knikt.

Ze was gewend dat het elke avond vol was en dat er een extra aperitief besteld moest worden tijdens het wachten tot er een tafel vrijkwam.

Hij krijgt een teken van een collega.

'Ik ben zo bij u terug.'

Zij bestudeert de kaart, waar de beroemde gerechten van toen niet meer op te vinden zijn.

'De risotto's zie ik niet,' zegt ze als de ober terug is.

'Helaas, die hebben we niet meer. Er is een nieuwe kok.'

De blik in zijn ogen verraadt dat hij het geen verbetering vindt.

'Jammer. De beste risotto die ik ooit at.'

Ze bestelt pasta en vis. Maar echt goed smaakt het niet.

Ze ergerde zich altijd als Roberto zeurde over het eten. Als zij hem daarom bekritiseerde zei hij: 'In een luxerestaurant waar de prijzen hoog zijn mag je verwachten dat de kwaliteit navenant is.' Nu betrapt ze zich op diezelfde gedachte.

Alléén eten in een restaurant had ze hier geleerd, in de periodes dat hij het druk had in de kliniek. Maar vaak kwam Roberto speciaal hier naar toe om met haar te tafelen en een dansje te maken. Aan het eind van de avond stapte hij in de auto en reed naar dat huis in Catania dat ze niet kende. Ze ziet de mooie maar sombere kamers voor zich en het bewegende stof in de banen licht die met moeite naar binnen drongen. Wat zou daar nu gebeuren? Zou het vanbinnen net zo zijn opgeschilderd als aan de buitenkant?

Als toetje bestelt ze *fichi d'India*, die ze hier voor het eerst zag en proefde.

Ze loopt geen risico om van die verraderlijke stekeltjes in haar vingers te krijgen, want de vruchten zijn zorgvuldig geschild en in mooie plakjes gesneden.

Pianospel.

Ze draait zich om. Dezelfde pianist, Bernardo. Een kleine man met een grote stem.

Tijdens de espresso herinnert ze zich dat Roberto het altijd zo leuk vond wanneer ze een sigaartje opstak. Als ze er zelf niet aan dacht zei hij: 'Een sigaartje?' Zelf rookte hij niet meer, maar hij vond het haar goed staan.

Nadat ze betaald heeft, met een flinke fooi, naar het voorbeeld van Roberto, gaat ze naar het dansgedeelte van het terras, waar kaarsjes branden op de lage tafeltjes en waar meer krekels zijn dan mensen. Ze gaat aan een van de tafeltjes zitten met uitzicht op de piste en op de zee.

Ze bestelt een glas prosecco.

De pianist herkent haar, maakt een buiging achter zijn vleugel, zij wuift en even later speelt hij '*Femmina, tu si ne mala femmina*.' Zoals vroeger elke pianist zong zodra Roberto en zij zich vertoonden.

Na het lied komt de pianist haar begroeten. Ook hij had al gehoord dat de professor was overleden.

'Ik herinner me nog vorig jaar dat u hier even was. Ik schrok, zo oud was hij geworden. Maar hij heeft een mooi leven gehad.'

'Dat weet ik niet.'

'Hij had u en je kon zien dat hij gelukkig was. U gaf hem kracht. Vroeger was hij altijd de laatste die de dansvloer verliet.'

Ook de pianist vertelt dat alles anders is geworden, dat ze

hier niet meer die euforische avonden beleven van toen.

Alleen op de zaterdagavond is het nog wel eens vol. Maar dat zijn meestal bruiloften. Hij zingt tegenwoordig voornamelijk op cruiseschepen.

'Wat kan ik voor u spelen?'

Ze denkt even na.

'Margherita.'

Hij gaat terug naar zijn vleugel en zingt.

'*Perché lei ama i colori.*' Want zij houdt van kleuren en van bloemen. We rennen door de straten.

Zo was het en zo moet het nog steeds zijn.

Ze ziet de bar voor zich in Catania waar dit lied uit de radio klonk, die lange nacht dat ze wachtte op Sant'Agata. Als de salita goed verliep was dat een gunstig voorteken, zeiden ze toen.

Ze knikt met haar hoofd als teken van dank.

Dan speelt hij '*Il sognatore*'. De dromer. Daar herkende Roberto zich in.

Ze kijkt naar het huisje, verscholen achter de oleanders, waar ze lange stukken van zomers woonden, leefden, vochten, vrijden. Waar ze het trapje afdaalden, deze mooie wereld in.

Het is of ze een oud fotoboek bekijkt. Mensen brengen de plekken tot leven. Ze verlangt naar het zwarte strand en naar het plekje daarboven, dat eiland in de hemel waar ze straks slaapt.

Ze belt Käthie.

Die reageert enthousiast.

'Waar ben je?'

'Villa Sant'Elena.'

'Ja, ik hoor de muziek. Hoe is het daar?'

'Melancholiek.'

'Zullen we daar morgen lunchen?'

'Erg goed idee.'

'Je bent mijn gast,' zegt ze, zwierig als altijd.

Toen ze haar voor het eerst ontmoette, dacht ze: echt zo'n jetsetvrouw, maar later ontdekte ze dat Käthie geen verwend popje was maar stoer en sterk en met veel interesses.

Suzanne is bijna de enige. Er danst slechts één paar.

Een jaar geleden dansten ze hier nog, het zand van de Sahara op Roberto's schoenen. Maar hij was niet meer diezelfde man, en het was niet meer datzelfde leven. Ook als hij nu jong zou zijn, zou ze dan dezelfde emoties voelen voor hem, of had het te maken met de fase in haar leven? De vrijheid na de studie? De wereld die open lag. De prachtige wereld hier.

Telkens schiet het beeld van dat zwarte strand over haar netvlies. Het negatief van de zilveren stranden van de reclamefoto's en kalenders. Zwarte as, gestold vuur. Het binnenste.

Ze klimt de trap op door de tuin met de vertrouwde geur van fruit en bloemen, begeleid door de klanken van Bernardo's spel.

En met de kabelbaan stijgt ze op, alleen in de Siciliaanse zomernacht.

Verder klimt ze, de trappen op, de wenteltrap naar haar stille plek.

Beneden glinsteren de lichtjes van het dorp en verderop van de ronde baai en van een enkele boot die er voor anker ligt. Lang blijft ze staan kijken naar het adembenemende, door godenhand geschapen uitzicht.

Alsof ze over golven en wolken naar dit bed voer.

In de diepte spatten zeepbellen uiteen.

Het Griekse theater

De zon gaat op over haar lichaam.

De rozevingerige Aurora maakt haar wakker.

Ze loopt het terras op.

Vulcanus slaapt nog en ook de zee verroert zich niet. Het is doodstil.

In het steegje ver beneden loopt een man met een hond. Een nieuwe dag begint aan haar voeten. Ze denkt aan de bedompte cappella, ziet de marmeren plaat met Roberto's naam. En het kleine plaatje met Enrico's naam. Wat is er met hem gebeurd? Ze had het druk gehad met artikelen over actuele zaken en had haar bezoek aan Catania uitgesteld. Ze ziet Enrico weer sjouwen met zijn jerrycan, strijdend voor zijn gezondheid.

In een bar op een klein pleintje met een sinaasappelboom neemt ze een cappuccino en een van honing druipende croissant. Dan gaat ze naar het Griekse theater.

De winkels aan weerskanten van de Via del Teatro Greco puilen uit van snuisterijen.

Vroeger werd er ook fruit en brood verkocht.

'U bent de Nederlandse journaliste, logeert in Villa Armonia,' zegt Graziano. De eigenaar van het hotel had hem al ingelicht.

Hij groet zijn collega's en gaat haar voor.

Hij opent het hek waar ze zo vaak doorheen is gegaan.

Daar staan ze als miertjes onder de machtige muren van de voorhal, waar duizenden jaren geleden de spelers zich verkleedden en waar zij met Roberto koffie dronk of een glaasje in de pauzes van de opera's, toneelstukken, films en concerten.

'Zal ik u rondleiden?'

'Nee dank u, een andere keer graag, ik wilde gewoon even kijken.'

Het is de eerste keer dat ze dit theater met plaats voor twintigduizend mensen geheel voor zich alleen heeft. Ze wil niet gestoord worden door geklets.

Ze loopt onder de kolossale bogen door en staat in het theater. Aan de ene kant ligt de halve cirkel van de tribune, aan de andere kant het podium met de zuilen en daarachter het decor van de baai en de vulkaan.

Tijdens het filmfestival ging dat unieke vergezicht schuil achter het filmdoek, en meestal kon de film niet op tegen het schouwspel dat het verborg. Als het doek werd weggehaald, bij het slotfeest van het festival, was ze zelf de set opgegaan, het toneel, met Roberto als tegenspeler in dit mythische decor.

Er was een feest in de villa van een psychiater, waar de jury altijd bijeenkwam, werd haar gezegd door andere journalisten, die eerste keer. Zij was ook welkom. Roberto had meteen indruk op haar gemaakt door zijn verschijning. Elegant in zijn witte pak, maar hij straalde ook kracht uit en mysterie. Hij bewoog mooi, ontspannen, beheerst en dan ineens weer snel en uitbundig. Tevreden keek hij toe hoe iedereen genoot. Ze waren aan de praat geraakt. Hij was speels, had gevoel voor ironie en hij was werkelijk zielenarts, wat ze een intrigerende combinatie vond met zijn uitstraling en gedrag van bonvivant. Hij had haar ten dans gevraagd en het klikte. Steeds meer was ze in zijn ban geraakt, en toen hij haar had uitgenodigd de volgende dag te komen zwemmen, had ze niet geaarzeld.

Ze klimt omhoog, over de stenen treden naar het schellinkje, waar je het beste overzicht hebt. Zij zaten meestal vooraan op de duurste plekken dicht bij het schouwspel.

Ze gaat zitten. Het is alsof het theater slaapt. Achter de

zuilen lijkt de Monte Tauro een dommelende stier.

Stilte zoekt ze, zodat ze de stemmen kan horen die hier ooit klonken. Van de Griekse acteurs, Medea, de zonen van Oedipus. 'Elio is tot alles in staat. Ida behoort tot de meest verwerpelijke mensensoort. Ik maak me zorgen over Enrico's lot.'

Rond de slapende stier is de hemel rood.

Het gebrul van wilde dieren hoort ze en doodskreten van gladiatoren, want de Romeinen bouwden het Griekse theater om tot arena voor gladiatorenspelen.

De stem van Rigoletto die zijn dochter vermoordt, klonk hier twintig jaar geleden toen ze voor het eerst naast Roberto in dit theater zat. Symfonieën, rockzangers, de stemmen van de zes personages op zoek naar een auteur.

De stemmen van henzelf. 'Waarom mag ik je hand niet vasthouden? Wat geeft het dat de mensen het zien?' Gehuild had ze. 'Toen wist ik dat je van hem hield,' zei een vriendin van Roberto tegen haar. Ze heeft medelijden met het meisje van toen.

Ach, het had zoveel beter gekund. Dit decor, die grote spektakels met een man die werkelijk bij haar paste.

Suzanne loopt de trap af en klimt het podium op. De tribune ligt voor haar. Aan de andere kant de zee en de vulkaan.

De schijnwerper van de zon wordt langzaam krachtiger.

Daar is Graziano weer.

'Mooi hè?' roept hij, terwijl hij naar haar toe loopt. 'Vooral nu er niemand is. Die stilte.'

Kom die dan niet verstoren vent.

'Ik heb een tijd in Milaan gewoond maar ik merkte dat ik deze plek miste, de kleuren die voortdurend veranderen.'

Stemmen, geroezemoes dat aanzwelt.

En het theater stroomt vol roze mensen met dikke buiken en smakeloze kleren.

'Wow! That's big!'

'Dit is interessanter dan Florence, dat viel een beetje tegen.'

'Het Colosseum was wel mooi.'

'Dat was Rome.'

'Het eten was ook niet goed in Florence.'

'En erg duur.'

'Die pizza hier was lekker.'

'We zullen het missen als we in Tanger zijn.'

'Van een cruiseschip afgestapt,' zegt Graziano. 'Bijna elke dag stroomt zo'n schip even leeg hier. Een paar uur later gaan ze weer aan boord.'

Ze ziet heel het Griekse theater veranderen in een cruiseschip. Een cruiseschip met klassieke zuilen, zoals de eetzaal van Sea Palace. De *Titanic*. De grond deint steeds vervaarlijker, reusachtige golven stijgen op uit de zee, storten zich naar binnen, knakken de zuilen als lucifersstokjes en spoelen de mensjes weg, met al hun holle geluid.

Käthie

Ze daalt af naar de zee en het strand van Sant'Elena.

Bij de receptie is niemand, ze loopt door alsof ze thuis is, de trappen af, door de mooie ruimtes die vroeger bewoond werden door de Engelse familie.

Er zijn mensen aan het ontbijten.

Daar is de ober, Ignazio. 'Buongiorno, signorina.'

Het strand is eigenlijk alleen voor de gasten van het hotel maar hij zou het wel regelen met de strandopzichter.

Hij begeleidt haar naar de badman.

'Een heel dierbare cliënte van ons. Zoek een mooi plaatsje voor haar uit.'

Terwijl ze achter hem aan loopt denkt ze aan zijn voorganger Mario, die altijd breed lachte als hij haar en Roberto zag en hen steevast op de eerste rij legde.

De strandbedden zijn gifgroen en niet meer blauw, de parasols en handdoeken ook. Het is lang niet vol, wat vroeger ondenkbaar was.

Daar ligt ze weer.

Ze zwemt in het heldere water, heel in de verte is de kust van Calabria te zien. Jonge jongens springen van de rots die omhoogsteekt midden in de baai, de zonen inmiddels van de jongens die ze dat destijds zag doen.

'Ga niet te ver alsjeblieft, dan kan ik geen adem meer halen.' Iemand die zich werkelijk om haar bekommerde.

Daar ligt ze in diezelfde baai, als in een omhelzing, maar zonder de omhelzing van zijn blik.

Hier suisden ze weg met zijn motorboot, zij uitgestrekt op de voorplecht, terwijl de golven over haar heen spatten.

'Susanna!'

Daar is Käthie, in een witte jurk met oranje bloemen. Een grote witte zonnehoed. De lippen felgekleurd, haar geblondeerde haar weelderig op haar schouders.

Ze neemt haar grote zonnebril af voor ze Suzanne kust.

'Wat goed je te zien!'

'Je ziet er fantastisch uit.'

'Jij ook.'

'Hoe is het?'

'Gek hier te zijn.'

Als iemand weet wat grote veranderingen zijn is het Käthie wel.

Ze doet haar jurk uit, waaronder ze een badpak draagt met hetzelfde bloemmotief, en gaat zitten op het strandbed naast Suzanne.

'Je hebt hem veel gegeven. Jullie waren een mooi stel. Maar hij was zo oud en jij zo jong. Zulke relaties moeten niet te lang duren.'

'In zoveel opzichten waren we heel anders.'

'Ja, verbazingwekkend. Maar jullie zagen er mooi uit samen, er was chemie. *Les extrèmes se touchent.* En heb je Enrico ontmoet?'

'Het is heel schokkend.'

'Wat dan?' Käthie kijkt haar onderzoekend aan.

'Ik ben naar dat tehuis gegaan.'

'Dat zou je doen, ja.'

'Daar hoorde ik dat hij overleden was.'

'Nee?!'

Ze vertelt het hele verhaal.

Ook Käthie vindt het vreemd.

Hij leefde natuurlijk in een rare symbiose met zijn vader, zegt ze, misschien had hij echt Roberto's bescherming nodig. Misschien had hij per ongeluk te veel pillen ingenomen.

Suzanne vertelt over de duistere voorspellingen van Roberto.

'Je weet hoe achterdochtig Sicilianen zijn.'
'Zo'n inrichting kost ook geld.'
'Behoorlijk veel.'
'Zou hij...?'
Käthie begrijpt haar meteen.
'Alles is mogelijk. Sicilianen behoren tot de hartelijkste mensensoort die ik ken, allercharmantst en gastvrij, maar ze kunnen ook korte metten maken.'
'In muren metselen en in ongebluste kalk laten verdwijnen. Maar de schoondochter is geen Siciliaanse.'
'Om geld gebeuren de gruwelijkste dingen.'
'Ik heb zo'n spijt dat ik niet meteen ben gekomen.'
'Dit kon je toch niet vermoeden. Onzin, schuldgevoelens. Je bent heel lief voor Roberto en Enrico geweest. Dit soort scenario's behoort niet tot ons voorstellingsvermogen. Misschien is hij gewoon van verdriet gestorven.'
'Ik hoop nog mensen te spreken, de buurmeisjes. Die moeten me iets meer kunnen vertellen. Kende jij Elio en Ida?'
'Eén keer ontmoet. Roberto hield die werelden streng gescheiden. Je moet wel voorzichtig zijn.'
Suzanne kijkt haar vragend aan.
'Je kunt Enrico niet meer redden, en hier houden ze er niet van als je te diep op de dingen in gaat.'
Ze vertelt over het telefoontje van Elio.
'Kijk uit,' zegt Käthie ernstig.
Suzanne knikt, nadenkend, dan zegt ze dat ze nog een keer de zee in gaat. Misschien is het voor het laatst op deze plek.
Daarna kleden ze zich aan, stiften hun lippen en klimmen de trap op naar het terras, waar Ignazio het mooiste tafeltje voor hen heeft gereserveerd.
'Buongiorno, *marchesa*.'
Käthie weet dat het hier niet meer is wat het was.
'Maar dit was de lievelingsplek van Roberto.'

Ze bestellen een rucolasalade met avocado en vervolgens vis.

Een Siciliaanse witte wijn.

Käthie heeft het druk gehad. Haar ex-man was ziek en heeft een tijd bij haar in Rome gelogeerd, waar ze hem heeft verzorgd.

Bob, haar geliefde, was boos.

'Was hij jaloers?'

'Nee, helemaal niet, hij weet dat daar geen reden voor is. Hij vindt dat ik te veel voor Egisto doe, dat hij me gebruikt. "Hij heeft je altijd bedrogen, houdt er drie vriendinnen op na, maar als hij je nodig heeft..." Bob heeft een groot rechtvaardigheidsgevoel. En overspel begrijpt hij al helemaal niet, vindt hij erg oppervlakkig.'

Ze glimlacht.

Käthie heft het glas.

'Beviamoci su!' zegt ze met een stralende lach en stralende ogen.

'Maar heeft Bob geen gelijk, dat Egisto je gebruikt?'

'Ach, dat is het karakter van de Siciliaan. Het zijn verleiders en veroveraars. Van eigen vrouwen verwachten ze moederlijke zorg.'

'Je hebt het er toch wel moeilijk mee gehad?'

'Zeker, in het begin was het vreselijk. Het ergste vond ik het als hij bij ons thuis op het Isola Bella meisjes verleidde. Roberto was ook zo. Altijd de mooiste vrouwen aan zijn zijde. Elke keer een ander. Iedereen was verbaasd toen jij bleef. Hij was veranderd. Hij had het altijd over je als je er niet was. Als je te ver de zee in ging werd hij helemaal onrustig. Zo had ik hem nooit gezien. Hij hield echt van je.'

'Ik ook van hem.'

'Dat was duidelijk.'

'We hebben hier mooie tijden beleefd. In de Villa Normanna... Ik wil er straks naar toe. Weet je daar iets van?'

'Niets, staat leeg geloof ik.'

'En Alfio?'
'Geen idee.'
'Die zou ik graag nog eens ontmoeten.'
'Hij was een fenomeen. De beste butler die ik ooit gezien heb.'
'Uit een boek gestapt. *Lady Chatterly's Lover.*'
Käthie stelt voor een kopje koffie bij haar thuis te drinken, daarna kan ze Suzanne met de auto naar boven brengen. Zij moet daar wat dingen regelen.

Ze rijden over een smalle weg, aan de ene kant de rotsen, aan de andere kant in de diepte de zee.
'Mijn vrienden vinden het eng. Die rotsen kunnen naar beneden rollen.'
Met ferme hand en in een stevig tempo voert ze haar tussen Scylla en Charybdis naar haar huis.
Ze komen aan bij een prachtig prieel van bloemen.
'Het werk van Bob.'
Daarachter staat een eeuwenoud kerkje, met een heel klein torentje. Ooit woonden hier een paar monniken. Nu zit Käthie er, soms met grote gezelschappen, soms alleen. De zitkamer is knus ingericht met grote divans en stoelen met kleurige motieven. De muren hangen vol schilderijen van het Isola Bella. Achter de ramen strekt de zee zich uit. Veel foto's van feesten, diners met filmsterren en haar beeldschone zussen. Van haarzelf, piepjong, een soort Brigitte Bardot.
Het huis staat op een vooruitstekende klip, beneden is alleen maar zee. Ook in de slaapkamer hangen alleen schilderijen van het Isola Bella, rond een roomkleurig hemelbed. 'Egisto heeft er inmiddels meer dan tien gemaakt, hij is helemaal gegrepen.'
Van achter haar werktafel kijkt ze uit over de eindeloze watervlakte. Er staat een computer, een telefoon. Hier belt ze met de Baltische staten, Noorwegen en Rusland en

praat ze over scheepswrakken, oceaantankers en afgedankte cruiseschepen. Ze moet er ook regelmatig heen, naar die verre werven.

'In het begin namen ze me niet serieus als ik daar aankwam in mijn mantelpakje, en probeerden ze me te versieren. Nu hebben ze begrepen dat ze dat niet moeten proberen en handelen ze graag met me.' Lachend: 'Ze noemen me *the Iron Lady*.'

Ze kijken een tijdje zwijgend uit over de roerloze zee.

'Hier kom ik tot rust.'

Villa Normanna

Ze herkent de villa waar Alfio vroeger butler was, bij een oude Engelse schrijver. Na diens overlijden ging hij werken in de Villa Normanna. Toen de eigenaar, een Noorse scheepsmagnaat, failliet ging en Roberto de villa huurde, werd hij butler bij Roberto. Hij kende het huis, het zwembad en de tuin als geen ander.

Suzanne loopt de weg op die langs de berg kronkelt.

Het lijkt of er veel meer huizen zijn en minder groen.

Als ze een kwartier gelopen heeft denkt ze dat ze zich toch heeft vergist. Er is niemand te zien aan wie ze het kan vragen. Ze loopt terug.

Iets hoger langs de berg voert een andere weg diezelfde kant op, maar daar herkent ze nog minder.

Dan ziet ze een vrouw op een balkon.

'Ik zoek de Villa Normanna. Vroeger woonde daar een Noorse scheepsbouwer.'

Ze was toch op de goede weg. Inderdaad is er veel gebouwd de laatste jaren, zegt de vrouw. Suzanne keert terug op haar schreden en loopt over die weg, die ze vroeger ook wel liep maar meestal per auto aflegde met Roberto, een taxichauffeur of butler Alfio.

Elk weekend was ze hier. Het was haar thuis. De heetste gedeeltes van de zomer, rond Maria-Hemelvaart, toen ze nog geen flauw benul had van Sant'Agata, zaten ze aan zee omdat Roberto geen zin had om op en neer te rijden met die hitte en drukte. Het is of ze gisteren op weg was naar de villa. Ze is erg benieuwd of Alfio nog leeft. Die zal toch ook over de zeventig zijn nu. Hij was een vitale sterke man, leidde een gezond leven. Altijd in de tuin.

Hij woonde vlak achter de villa. Ze was er een keer geweest toen ze onverwacht naar Taormina was gekomen omdat Roberto haar van ontrouw verdacht. Roberto was niet in de villa maar in Catania, en toen was ze bij Alfio de sleutel gaan vragen. Die was er ook niet, maar zijn kleine mollige zwartharige vrouw had haar de sleutel gegeven.

Roberto zag het eerder als het bewijs van haar bedrog, deze plotselinge verschijning, en het had lang geduurd voordat het weer goed was. Ze had de romantische hereniging als een film voor zich gezien, maar in plaats van blij verrast te zijn was hij koud en stug geweest. Hij had haar op de keukentafel gepakt met een kille blik.

In de verte ziet ze een man iets uit een auto halen.

Maar, is dat hem? Dat kan niet, dat is al te toevallig.

De man legt spullen achter het hek van een tuin.

Ze herkent zijn postuur, zijn motoriek. De schouders die wat vast lijken te zitten.

Hoe dichterbij ze komt hoe meer ze erin bevestigd wordt.

De man ziet haar.

Blijft staan, bewegingloos.

Dan ziet ze een brede lach doorbreken.

Hij komt met gespreide armen op haar af.

'Maar dat is Susanna!'

'Alfio!'

'Ik kon het eerst niet geloven.'

'Ik ook niet.'

Ze omhelzen elkaar, wat ze vroeger nooit deden.

'Ik ben hier om jou te zoeken.'

'Wil je de villa zien?'

'Kan dat dan?'

'Ik heb de sleutels bij me.'

'Maar dat is ongelooflijk. Ik dacht: misschien ben je verhuisd, bestaat de villa niet meer.'

Hij legt nog even wat spullen achter het hek, dan maakt

hij het portier van de auto voor haar open. Een werkauto, vol stof en zand.

'Het is niet meer zoals vroeger, helaas. De villa staat leeg. Ze willen hem verkopen. De tuin is een woestijn geworden.'

Hij kijkt haar weer aan.

'Ach Susanna, je weet niet hoe blij ik ben.'

Ja, hij wist het, dat de professor is overleden.

Nee, van Enrico niet.

'Een week na de professor?' herhaalt hij met grote ogen.

Hij parkeert de auto bij de bekende toegangspoort waarnaast nog steeds hetzelfde bordje hangt met 'Villa Normanna'.

De haag van bougainville die de muur en de poort bedekte, is verschrompeld tot wat dorre takken.

Alfio wijst er mistroostig op. 'Ik zei het al, het is niet meer als toen.'

Hij opent het hek.

Boven aan de trap stond Roberto haar vaak op te wachten met een blij gezicht.

Ze gaan de trap op, belanden niet meer in een rozentuin.

De villa is dezelfde maar ziet er veel kaler uit nu de bloemen en bomen verdord zijn.

'De tuin heeft elke dag verzorging nodig, elke dag moet er worden gesproeid.'

'Het was jouw kunstwerk. Een hof van Eden had je ervan gemaakt.'

Hij lacht wat verlegen. 'Ik had het graag voortgezet, maar de eigenaar heeft zijn financiële problemen niet kunnen oplossen en zijn kinderen maken alleen maar ruzie.'

Ze kijkt naar de plek waar het prieel was waar ze aan het eind van de middag vaak zat met Roberto, waar de geur van de rozen zich mengde met die van de sinaasappel- en mandarijnbomen. Waar alleen het zachte ruisen van de sproeiers klonk. Stil zaten ze bij elkaar voordat ze afdaalden naar de eet- en danslokalen.

Ze lopen verder langs het hoekje waar Alfio haar het ontbijt bracht: sinaasappelsap, koffie en een schaal met koekjes. Het bloemvormige tafeltje staat er nog, maar de struiken eromheen zijn weg.

Beneden ligt het zwembad. Er zit geen water in, de bodem is bedekt met bladeren. Daarachter in de diepte glanst de zee.

Hij opent de deur van de villa, en ze staan in de ruime lichte salon met de oosterse ramen. De marmeren vloer is dof, de witte vleugel is verdwenen. Dezelfde meubels staan er nog, de bank waarop ze tegen elkaar aan hingen, de grote schouw en zelfs de twee duifjes erbovenop die Roberto met de ruggen naar elkaar toe zette als ze ruzie hadden en met de snaveltjes tegen elkaar als het weer goed was.

De eetkamer, met de lange, glazen tafel waarop Alfio zoveel zalige en prachtig ogende maaltijden heeft opgediend. Ze denkt weer aan zijn salades, waar ook stukken perzik doorheen zaten. Een subtiele mengeling van zout, zuur en zoet.

Ze is stil en kijkt.

De badkamer, waar Alfio haar die stapel grote zachte handdoeken gaf.

Hij duwt weer een deur open, van de slaapkamer waar zij de eerste keren sliep. De deur van de andere kamer, waar ze al spoedig bij Roberto kroop en met hem wakker werd.

De keuken, niet veranderd. De tafel in het midden. Maar hier kwam ze bijna nooit.

Het is er schemerig. Alleen door de kieren van de luiken komt wat licht.

'Dit was mijn domein.'

Hij pakt haar hand.

Ze trekt die rustig maar vastbesloten los.

'Een kus, Susanna, een kus.'

'Nee, Alfio.'
Hij pakt haar beet, drukt een kus op haar mond.
Ze maakt zich los. Vriendelijk, maar beslist zegt ze: 'Nee, Alfio.'
'Ik ben zo blij dat ik je zie. Ik heb altijd sterke gevoelens voor je gehad.'
'Ik ben ook blij dat ik jou zie.'
'Het spijt me, vergeef me.'
Ze legt haar hand op de deurknop van de buitendeur.
'Ik zal je beneden nog even laten zien.' Hij doelt op het terras bij het zwembad.
Ze dalen de trap af. Lopen over het brede terras dat rond het zwembad ligt en dat niet meer door een haag van bloemen maar door het hek dat erin verborgen zat bescherming biedt tegen de rotsige afgrond. Het appartementje dat is uitgehouwen in de muur, waar ligstoelen, tafels en handdoeken werden bewaard en waar je ook kon zitten, ziet er kaal en stoffig uit.
'Ook het zwembad heeft dagelijkse zorg nodig.'
'Ach, wat jammer allemaal.'
'Het was het werk van jaren. Zo'n tuin ontstaat niet in één dag. Kun jij de villa niet kopen, Susanna?'
'Ik denk dat dat mijn vermogens te boven gaat.'
Daar zaten ze, of lagen ze op strandbedden onder de parasol, en lazen. Dat waren mooie dagen als ze thuis bleven en Alfio de lunch verzorgde. Ze zwom, las, schreef haar eerste stukjes en maakte foto's, van het uitzicht, de villa, Roberto.
'Mag ik een foto van je maken?'
'Natuurlijk.'
Ze wijst waar hij moet gaan staan. De villa achter hem en een stukje van de baai en de vulkaan.
Ze kijkt door de lens. Zijn gezicht is niet veranderd. Zelfs zijn haar is nog blondachtig. Hij heeft er nauwelijks lijnen bij gekregen. Hij oogt net zo solide als toen, met gespierde ar-

men, sterke handen. Zou hij die Vikingblauwe ogen hebben van een avontuurlijke Engelse dame in zijn voorgeslacht?

'Het waren mooie tijden.'

'Ja, heel mooi, ik vond het altijd een grote eer en genoegen voor je te zorgen. Ik ben wel vaak kwaad geweest op Roberto.'

'Kwaad? Waarom?'

Ze staan aan de rand van het lege zwembad.

'Die keer dat hij je wegstuurde.'

'Toen ik gedanst had met die journalist.'

'Ja, je was met een vriendin.'

'Dat was absurd, ja. Het was gewoon een goede vriend. Een groep buitenlandse journalisten die ik kende uit Rome en die hier op wijnreis waren.'

Ze was zo driftig geweest dat ze de telefoon, nadat Roberto haar had gesommeerd onmiddellijk de villa te verlaten, tegen de muur had stukgegooid. Er was niks gebeurd; hij had alleen gezien toen hij naar Catania terugging dat ze uitbundig aan het dansen was en hij had ook gehoord dat het laat was geworden.

'Zijn eer was aangetast.'

'En dat moest híj zeggen,' zegt Alfio verontwaardigd.

'Je bedoelt dat hijzelf...?'

'Altijd.'

'Toch alleen in het begin?'

In het prilste begin van hun relatie had hij een keer een meisje door de achterdeur weg laten glippen omdat zij onverwacht wat eerder was gekomen. Hij had het haar later eerlijk bekend. Daarna was hij haar trouw geweest dacht ze. Hij zei vaak dat hij geen behoefte meer had aan andere vrouwen, dat hij nu besefte hoe leeg dat allemaal was.

Waarschijnlijk zegt Alfio dit omdat hij Roberto als rivaal ziet, ook al is hij dood. En al was het zo, het raakt haar niet meer. Vroeger zou ze door het dolle heen zijn geweest. Nu glimlacht ze als Käthie.

Ze lopen nog wat door de dorre tuin en om het huis.
Het staat te koop.
'Denk erover na, Susanna. Dan zal ik het hier weer tot een paradijs maken.'

Concetta

Daar wandelt ze weer door de inmiddels zo bekende straat, en ze stelt zich voor hoe Roberto hier liep, terug uit Taormina, terug van zijn samenzijn met haar, op weg naar zijn andere huis, zijn andere leven.

Ze drukt op zijn deurbel. Het naamkaartje is nog steeds blanco.

Niets.

Dan belt ze bij de Famiglia dell'Ave Maria.

'*Chi è?*' vraagt een vrouwenstem.

'Ik ben Suzanne, vriendin van professor Colafiore.'

'Ik heb nu geen tijd. Ben druk.'

'Alstublieft, heel kort maar, ik ben geschokt door zijn dood. Wil graag iets vragen.'

'Ik doe open.'

De deur springt open en ze gaat de trap op. De hal is schemerig.

Ze kijkt naar de deur van zijn appartement. Dan drukt ze op de bel van de deur die ertegenover ligt.

Een vrouw van een jaar of dertig doet open. Ze heeft halflang haar, een lief gezicht zonder make-up. Ze draagt een T-shirt met korte mouwen en een spijkerbroek.

Ze geeft haar een hand.

'Concetta.'

'Excuses dat ik zo binnendring, maar...'

'Mijn excuses, ik ben alleen thuis en dan ben ik altijd voorzichtig, maar ik begreep dat het om de professor ging.'

Het appartement lijkt op dat van Roberto. Oorspronkelijk was het een onderdeel van hetzelfde huis. Het heeft dezelfde hoge plafonds en statige meubels. Ook hier wordt alles weerkaatst door grote oude spiegels in gouden lijsten.

'Ik was jarenlang met hem bevriend. Niet zo lang geleden heb ik nog bij hem en Enrico gelogeerd. Ik ben zo geschokt door zijn dood.'

'Ik ook,' zegt Concetta een beetje droevig.

'Ik hoorde het pas na de begrafenis.'

'Hij was helemaal alleen, in de steek gelaten door de familie.'

'Maar zijn schoondochter was er toch?'

'Alleen op het allerlaatst, toen hij in het ziekenhuis lag. Daarvoor trokken ze zich niks van hem aan. Ik ging regelmatig een praatje maken. Hij heeft me ook over u verteld.'

'O ja?'

'Hij heeft veel van u gehouden.'

'Zei hij dat?'

'Meerdere malen. Dat de enige echte liefde met u was.'

Er springen tranen in haar ogen.

'Ik was erg op hem gesteld,' zegt Concetta. 'Hij deed me denken aan mijn vader, die jong is gestorven. Ook een mooie man met een knap gezicht en brede schouders, stoer en lief.'

Ze vindt het fijn dat ze zo aardig over Roberto spreekt.

'Onze slaapkamers grensden aan elkaar. Ik hoorde hem vaak hoesten. Als ik hoorde dat hij benauwd was ging ik naar hem toe. En elke woensdag haalde ik hem op voor de mis in onze huiskapel.'

'Hoe vond hij dat?'

'Hij vond het fijn, zat daar heel rustig, deed met alles mee. Hij heeft ook een keer met de priester gepraat. Dat was een goed gesprek geweest, zei hij.'

Ze gebaart naar een stoel. Suzanne gaat zitten in een oude fauteuil, die er misschien al stond toen Roberto hier speelde als klein jongetje.

'Ik heb hem opgezocht in het ziekenhuis. Alleen die schoondochter kwam daar, maar die haatte haar schoonvader.'

'Wat vreselijk; maar fijn dat jij hem bezocht.'

'Dat zei hij ook. Hij was een goed mens. Toen hij was overleden heb ik een rozenkrans tussen zijn vingers gelegd, in het ziekenhuis. Zijn schoondochter zei dat ik dat niet moest doen, dat hij atheïst was. Ik dacht: hoe kun je daarover oordelen?'

'En Elio?'

'Die is alleen gekomen toen zijn vader dood was.'

'Wat triest.'

'Heel triest ja.'

'En verder was er niemand bij?'

'Er is geen enkele bekendheid aan gegeven. Niet eens een advertentie.'

'Om te besparen.'

'Die schoondochter had het alleen maar over geld. De professor zat krap. Wij betaalden op tijd, daar kon hij op rekenen, en we brachten hem elke week een mandje eitjes. Versgeraapt bij mijn moeder op het land.'

'Was jij op de begrafenis?'

'Nee, ik verwachtte dat ik zou horen wanneer het was, maar toen ik ernaar vroeg was het al achter de rug.'

Suzanne vertelt over haar bezoek aan de Villa Valeria.

'Ja, arme Enrico. Enrico was zo lief, hij kwam soms een glaasje water vragen, dat was een excuus om me te zien.'

'Roberto zei altijd: "Na mijn dood stoppen ze Enrico in een gesticht om het appartement in te pikken."'

'Dat zei hij ook tegen mij. Hij voelde de dingen goed aan, was een intelligente man.'

'Vreemd, hoe alles gelopen is.'

'Heel vreemd,' zegt ze nadenkend en met een ernstige blik.

Concetta was op bezoek geweest bij Enrico in de Villa Valeria. 'Hij was rustig, ging ervan uit dat het tijdelijk was daar en dat hij terug zou gaan naar zijn appartement hier. Ik heb tegen Ida en Elio gezegd dat wij met ons allen, we zijn hier met zeven meisjes, wel een beetje op hem zouden passen.'

'Ach, wat zou dat een mooie oplossing zijn geweest.'

'"Nee, hij kan niet alleen wonen," zeiden ze.'

'Wat gebeurt er nu met hun appartement?'

'Daar komt de buurman van beneden in.'

'Wat? Wie?'

'Saro.'

'Saro? Dat vind ik zo'n duister type.'

'Zeg dat wel.'

'Met Tina?'

'Nee, die zijn uit elkaar.'

'Ach. Zij was aardiger.'

'Ja, zij is wel lief.'

'Maar dat appartement heeft Elio toch geërfd?'

'Ja, nu Enrico dood is, is het in zijn geheel van Elio. En Elio is bevriend met Saro.'

Suzanne is even perplex. 'Dat heb ik nooit geweten.'

'Ik ook niet en de professor volgens mij ook niet.'

'Ik snap er niks meer van.'

'Na zijn dood was Elio hier een paar dagen. Toen heb ik hem meerdere malen met Saro gezien. Op straat, op de trap en ook in het appartement hiertegenover. Saro praatte nooit aardig over de professor.'

'Heb ik ook gemerkt. Roberto vond het iemand om op afstand te houden. Ik dacht eerst dat dat al te achterdochtig was.'

'Dat vreemde verhaal dat er net toen ze een avond uitgingen, ingebroken werd en het pistool gestolen was.'

'Heeft hij mij ook verteld. Saro is geloof ik op bezoek geweest bij Enrico in de Villa Valeria.'

'Hoe weet je dat?' vraagt Concetta verbaasd.

'Daar zeiden ze dat er een man op bezoek was geweest van een jaar of veertig met kort haar en een snorretje. De buurman.'

'Wat moest hij daar? Ze waren helemaal niet bevriend. Enrico kon hem niet uitstaan.'

'Verder wisten ze niks.'

'Er klopt iets helemaal niet. Wat heeft hij daar...'

'Ik vroeg of ze zeker wisten dat die pillen de doodsoorzaak waren. Toen zeiden ze dat de broer geen autopsie wilde.'

'En nu Saro in dat appartement.'

'Als dank.'

Ze zijn even stil, kijken elkaar aan.

'En ik heb altijd tegen Roberto gezegd dat hij niet zo achterdochtig moest zijn.'

'Waarschijnlijk had hij het goed door.'

'Waar zit Saro nu?'

'Nog beneden, met een nieuwe vriendin. Tina woont bij haar moeder. Ik kan je haar nummer geven.'

Voor ze weggaat laat Concetta haar het huis zien. In verschillende kamers staan meerdere eenpersoonsbedden voor studerende meisjes. Ze zijn allemaal met vakantie. Concetta heeft de non die net op drieënnegentigjarige leeftijd is overleden, opgevolgd als leidster van het huis. Ze laat haar ook de huiskapel zien. In de voormalige slaapkamer van Roberto's zuster staat een altaar, aan de wand hangen beeltenissen van de lijdende Christus en van Sant'Agata. Er staan een stuk of tien stoelen.

Daar zat Roberto.

Tussen deze lieve meisjes.

'Eén ding was wel aardig van Ida. Ik had gezegd dat ik een speciale band had met de klok van haar schoonvader. Die glazen stolp met dat danseresje. Dat muziekje hoorde ik altijd. Toen ze vertrok gaf Ida me die.'

'Dat is aardig, ja.'

'Hij heeft me zelf ook een heel bijzonder cadeau gegeven. Het doekje waarmee hij als jongen zwaaide naar Sant'Agata. Hij had het al eerder gezocht, zei hij, tevergeefs, maar het kwam te voorschijn toen een verpleegster pyjama's zocht voor het ziekenhuis. Hij vertelde dat u ook een bijzondere band hebt met Sant'Agata.'

Ze knikt. 'Ik heb net haar feest weer bijgewoond.'

Had hij het misschien aanvankelijk gezocht voor haar?

Het is in goede handen hier, bij Concetta.

'De professor wist dat Sant'Agata ook voor mij veel betekent. Ze heeft me kracht gegeven toen mijn vader stierf, zoals ze hem troostte toen zijn moeder doodging.'

Concetta geeft haar telefoonnummer. 'Als je in Catania bent ben je altijd welkom.'

Ze kussen elkaar in de deuropening. Suzanne werpt nog een laatste blik op de deur van Roberto's appartement, en daalt dan af door de donkere hal over de marmeren trappen.

Onderwereld

De broers en zusters van Caprice begroeten haar hartelijk. Ze gaat aan een tafeltje buiten zitten en bestelt een ijskoude latte di mandorla.

De avond valt. Het is rustig op de Via Etnea en op het grote plein. De roodfluwelen doeken zijn weg.

Daar is Tina. In een zomerbroek met bijpassend jasje. Haar haren opgestoken.

'Susanna, wat ben ik blij je te zien.'

Ze omhelzen elkaar.

'Tja, wat is er niet allemaal gebeurd.'

'Ongelooflijk. Een aardverschuiving.'

Tina bestelt een *granita al limone*.

'Ik hoorde van Concetta dat Saro en jij uit elkaar zijn.'

Ze knikt.

'Het ging al lang niet goed.'

'Concetta vertelde ook dat Saro in het appartement van de professor gaat wonen.'

'Ja,' zegt Tina met een uitdrukkingsloos gezicht.

'Dus Saro is bevriend met Elio, de zoon van Roberto.'

'Helaas.'

'Al lang?'

Ze aarzelt.

'Vaag. Door Elio wist hij destijds dat het appartement beneden vrijkwam.'

'Maar hoe kenden die elkaar dan?'

'Ik kan het je niet zeggen, ik weet het niet. Ik vond het erg dat hij zo onaardig tegen de professor deed en tegen Enrico. Ik verdedigde hen. Hij werd kwaad, zei dat ik verliefd op Roberto was. Hij was mijn lieve, soms wat knorrige

opa. Ik had hem beloofd op Enrico te zullen passen.'
'Saro is daar op bezoek geweest.'
Het lijkt of ze schrikt.
'Waar?'
'In de Villa Valeria.'
'Ik weet het niet. Ik weet niks.'
Ze zal haar niet verder in verlegenheid brengen.
'Siciliaanse mannen zijn Arabieren, die willen verwend worden, bediend. Ik ben erg blij dat ik van die vent af ben en weer bij mijn moeder woon.'
Tina kijkt haar ernstig aan en zegt dan: 'Verdiep je er maar niet verder in. Roberto en Enrico kun je niet meer redden.'
Als ze afscheid nemen vertelt Tina dat ze nog even naar de kapel van Sant'Agata gaat. Suzanne loopt mee. De kathedraal is koel en leeg. Achter het hek van Agata's kapel ziet ze hun schaduwen afgetekend op de marmeren vloer.
Agata glimlacht vanaf de grote foto naast de eerste van de zeven deuren. Pas over een halfjaar komt ze weer naar buiten.

Ze loopt de Piazza del Duomo over, langs de fontein waarmee Roberto haar ooit vergeleek nadat ze gehuild had bij Caprice, over de verlaten vismarkt naar de plek waarover Tina had verteld. Het restaurant waar je kunt eten aan de rand van de onderaardse rivier.
En het ene fragment wordt aan het andere geplakt. Het ene hoekje van de stad aan het volgende. Straten, pleinen, koepels, torens en fonteinen raken met elkaar verbonden. Stukjes van een doolhof, een onbekende wereld waar ze duizelend doorheen reed, loopt en kijkt ze nu aan elkaar. Zoals de fragmenten van zijn leven met elkaar verbonden raken. Maar echt bevatten zal ze het nooit. Ze dacht dat zij het allemaal helder zag en dat Roberto een achterdochtige Siciliaan was, maar waarschijnlijk is zij de naïeveling geweest.
Buiten op het terras onder een pergola zitten mensen te

tafelen, genietend van de warme zomeravond en van Siciliaanse liederen. '*Ciuri, ciuri*,' bloemen, bloemen, een lied dat ze vaak hoorde in Taormina, gezongen door jongens en meisjes in kleurige Siciliaanse kostuums met kleurige tamboerijnen.

Zij gaat naar beneden over een kronkeltrap, uitgehouwen in de lava. Langs de zwarte muren komt ze in een schemerige grot waar zacht geklater klinkt. Tafeltjes staan aan de rand van de kleine onderaardse rivier van helder water. Ze zijn allemaal leeg; de mensen zitten liever in de warme zomernacht onder de maan, die de koepels en daken laat glanzen. Zij heeft het rijk alleen hier in de onderwereld, en gaat zitten aan het tafeltje dat op het diepste punt staat aan de rand van de rivier, waarover een geheimzinnige glans wordt gelegd door kaarsen in de holtes van de gestolde lava. De rivier stroomt van haar weg, een donkere spelonk in, om onzichtbaar zijn loop voort te zetten, omhoog te spuiten in de fontein waar ze net langsliep en stil en zuiver de cameredda te omspoelen waar Agata rust naast haar zilveren ledematen. Er klinkt geen muziek, geen stem, alleen het zachte gekabbel van het water. Zou er af en toe een vis meezwemmen of een zeemeermin?

Als het meisje met de grote zwarte ogen en lange zwarte haren de salade komt brengen, geeft ze haar ook een perkamenten blad met uitleg over de plek.

Af en toe komen er even mensen kijken. Ze gaan meteen zachter praten, om ten slotte alleen nog maar te fluisteren. Dan keren ze snel terug naar de bovenwereld.

Ze doet haar sandalen uit en steekt haar voeten in het water. De antieke stroom, de jonge riviergod Amenano, masseert en verkwikt haar.

Deze grot is ontstaan door de grote uitbarsting van 1669, leest ze.

Ze prikt een klein tomaatje aan haar vork en laat het openspatten in haar mond. 11 maart 1669 scheurde de vulkaan bij

Nicolosi open en de lava barstte naar buiten uit vele monden, 'rode bergen'. De lava slokte het ene na het andere dorp op. Na een maand had de vier kilometer brede lavastroom Catania bereikt. 15 april vulde de lava het meer van Nicito in het centrum van de stad, de plek waar later het huis van Roberto werd gebouwd. De lava overweldigde het bastion van San Biagio en Santa Croce, kolkte over de stadsmuren heen, vulde de slotgracht van het middeleeuwse Castel'Ursino, de onbedwingbare burcht die Frederik de Tweede, keizer van het Heilige Romeinse Rijk en koning van Sicilië, had laten bouwen, bedolf de rivier Amenano om daarna twee kilometer zwarte rots te veroveren op zee.

Een enorme bel van stoom in de kolkende lava creëerde deze holte.

Vrijwel alle huizen van de stad werden opgeslokt. Ook de rivier aan haar voeten die eerst door de stad stroomde en de boel daar regelmatig onder water zette raakte bedolven. Rechts van de rivier is een stuk van de muur te zien die Karel de Vijfde heeft laten bouwen en die de stad omhelsde, en de burcht van 'Stupor Mundi'.

Ze zit in een luchtbel in het gestolde vuur.

Achter die muur lag de zee, en nu het land, hier schalden trompetten, ruisten verbijsterende feesten en kabbelt nu het water, hier zetten ooit fakkels en flambouwen de overladen dissen in een gouden gloed. In dat huis, waar het bruiste van leven, van partijen door zijn moeder aangericht, woont nu alleen dat lieve meisje.

Alles stroomt.

Schuim

Ze rolt weg over de zilveren rails. Langs de Valle del Bove, de cyclopenrotsen waar ze zich tot bloedens toe aan stootte, langs Naxos en havens vol kleurige vissersboten.

Ze kijkt door de achterruit van de trein en ziet hoe ze het eiland af glijdt over het zilverglanzende lint van de rails, witgloeiend in de zon, en daarboven de draden waar de elektriciteit doorheenzindert als door de zenuwen van een hersenpan.

Wat hebben ze hier vaak onder stroom gestaan, wat sloegen de vonken eraf.

Langs de stranden en terrassen van Taormina glijdt ze, langs boeketten palmen, en bermen vol stekelig oranjegeel cactusfruit.

Ten slotte gaat de trein langzamer rijden en rollen ze schoksgewijs het station van Messina binnen, waar vele rails samenkomen bij metalen palen, draden in talloze vertakkingen, kabels, knoppen, stoppen.

Alsof ze terugkeert in haar hoofd.

Het is volkomen stil.

Dan klinkt geroep, geluid van zwaar metaal.

De trein wordt in mootjes gehakt, hapklare brokken voor het zeemonster dat ligt te wachten.

In grote letters staat er '*Scylla*' op de boot geschilderd.

Door de enorme openstaande bek van de veerboot die haar naar het vasteland zal brengen, worden de wagons naar binnen gerold.

Toen ze voor het eerst, twintig jaar geleden, de overtocht maakte de andere kant op, heette de boot die haar overzette *Charibdis*.

Ze klautert de trappen omhoog, het dek op.

Er is niemand.

Ze leunt over de reling.

Het schip begint te trillen.

De *Scylla* maakt zich los van de wal.

Ze varen, en een loper van wit schuim rolt zich uit over de zilveren zee tussen de *Scylla* en Sicilië, waar ook de Etna wit is tegen een witte lucht.

Ze kijkt naar de witte loper, die steeds langer wordt en ten slotte oplost in het niets.